品质生活·最美女人坊

健康美白
天然面膜DIY

何琼 主编

重庆出版集团 重庆出版社

图书在版编目(CIP)数据

健康美白天然面膜 DIY／何琼主编. —重庆：重庆
出版社，2012.1

ISBN 978-7-229-01544-2

Ⅰ.①健…　Ⅱ.①何…　Ⅲ.①面－美容－基本
知识　Ⅳ.① TS974.1

中国版本图书馆 CIP 数据核字（2011）第 216496 号

健康美白天然面膜DIY

出 版 人：罗小卫　　　　　封面设计：桃　子

策　　划：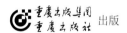华章同人　　版式设计：韩少杰

责任编辑：陈建军　　　　　制　　作：（www.rzbook.com）

特约编辑：冷寒风

重庆出版集团
重庆出版社 出版

（重庆长江二路 205 号）

北京汇林印务有限公司 印刷

重庆出版集团图书发行公司 发行

邮购电话：010-85869375/76/77转810

E-MAIL：bjhztr@vip.163.com

全国新华书店经销

开本：787mm×1092mm 1/12 印张：10 字数：200千字

版印次：2012年1月第1版 2012年1月第1次印刷

定价：28.00元

如有印装质量问题，请致电 023-68706683

感受美肤"膜"力

爱美是女人的天性，拥有光滑细致的肌肤是护肤的终极目标。可为什么昂贵的护肤品换了一种又一种，肤色却依然暗沉、粗糙，恼人的痘痘还在，到了下午脸上仍旧会油光光呢？

每个人的体质和肤质不同，护肤的效果取决于是否用对了配方。在本书中，美肤专家会教你利用天然面膜轻松应对各种肌肤问题。

不用花大笔的金钱，也没有繁琐的程序，却能得到比使用昂贵的名牌护肤品还要好的效果，这便是自制美肤面膜的诱人之处。充分利用大自然的恩惠，使皮肤吸收天然精华，摒弃一大堆含有化学成分的护肤品，在各种水果和源于植物的精油中寻求美白护肤的营养成分和各种元素吧，如此健康的美肤法是最符合现代人生活方式的选择。

书中收录了上百种利用天然蔬果、芳香精油做成的面膜，每款面膜都有其详细材料、做法、功效、使用方法的介绍，让你的所有"面子"问题都能轻松解决，打造出莹透美肌！

目录 | Contents

MASK

◆Part 01

天然面膜，
让你的肌肤永远18岁

Natural skin products

◆Part 02

清洁去角质面膜，
瞬间绽放水润光彩

◆Part 03

补水保湿面膜，
缔造润白水美人

Natural skin products

◆Part 04

美白淡斑面膜，
神速变成"白雪公主"

◆Part 05

控油祛痘面膜，让肌肤畅快呼吸

附录

● 局部面膜，靓肤无微不至

◆Part 06

抗衰紧肤面膜，
只要青春不要"皱"

天然面膜，
让你的肌肤永远18岁

Part 01

Natural Mask

Natural Mask
纯天然健康护理，认识手工面膜

● 了解面膜的奇迹修复魔力

　　打开梳妆台，各种护肤品琳琅满目：面霜、化妆水、精华素……面膜自然也占有一席之地。在精神疲惫、肌肤暗淡的时候；在肌肤干枯失水、细纹找上门来的时候；在肌肤油光厚重、痘痘肆虐的时候，面膜常常能成为肌肤的救星。为什么面膜具有如此神奇的魔力呢？

密封　减缓挥发的魔力

　　面膜的最大特征在于密封性，它能覆盖在整个脸部，和肌肤紧紧贴合，形成牢固的"面具"，面膜里的保湿因子、美白成分、抗衰老营养等就能够避免挥发。面膜里的水分也能减缓流失，细胞在这种湿润的环境里，能吸足面膜的水分和营养。

加温　促进代谢的魔力

　　将脸部"密封"起来的面膜，犹如给肌肤盖上了一层薄被。脸部肌肤升温后，毛细血管扩张，皮肤血液的微循环也加快了，脸部肌肤细胞的新陈代谢自然加快，吸收力也增强了。

渗透　快速吸收的魔力

　　面膜里的营养精华成分，是面膜真正发挥效力的根本原因。在密封和加温的作用之下，这些营养成分能够快速地被皮肤所吸收，最大程度地渗透到皮肤内部。而我们在敷面膜时常常需要保持半小时以内的时间，也正是为了给肌肤吸收营养留有一定的时间，让肌肤慢慢吸取所需的营养素。

Natural
Mask

●面膜DIY，亲手制造纯天然的美肤品

随着面膜的神奇魔力被越来越多的人们所发现，DIY面膜也成为了一种时尚。在DIY面膜的过程中，你能学到更多的护肤知识，对自己的肌肤也会有更多的了解。闲暇时为自己做一款天然面膜，在护肤的过程中也能获得快乐和满足。而与市售面膜相比，DIY面膜也有着它独特的优势。

1.就地取材，简单方便

DIY面膜最直观的特征就是就地取材，种种面膜材料尽在厨房和冰箱，富含各类营养的水果都信手拈来，没有看得人眼花缭乱的广告词，没有让人看不懂的长串化学术语，没有让人心惊肉跳的防腐剂，更没有令人望而却步的高昂价格。各类果蔬的价格比名牌护肤品低廉得多，即使长期使用，也不必担心囊中羞涩。

2.根据需求，灵活调制

DIY面膜是人性化的面膜。由于材料的选择、制作的过程、使用的方法全都掌握在自己手中，你也能做一回自己脸蛋的主人，而不会被各大护肤厂商的说明书牵着鼻子走。要知道，肌肤对外界的反应是复杂的，需要仔细辨别，才能知道自己的肌肤适合哪些面膜材料，又害怕哪些材料，而买回来的市售面膜往往无法贴心地考虑你的需求。

而在DIY面膜的过程中，你可以充分考虑自身肌肤的需要和喜好，无论你是干性还是油性肤质，无论你想要哪些面膜功能，无论你厌恶还是喜欢哪种水果，都有足够多的面膜花样任你选择。

Natural skin products

●两种测试法，了解自己的肤质

　　不同肤质有不同的护理方法，弄清自己的肤质是选择不同面膜及化妆品的关键。肤质可以分为五种类型：干性皮肤、中性皮肤、油性皮肤、混合性皮肤和敏感性皮肤。

Check
认识五种不同肤质

特征：面部经常干燥、暗淡，尤其在中午会有紧绷感或脱皮现象。而毛孔几乎看不出来，很少有面疱、黑头或白头粉刺等情况。

① 干性皮肤

特征：面部平时感觉很清爽，既不油腻也不暗淡。毛孔细小，皮肤细腻。面疱或粉刺通常是每月出现1次，或者更少。

② 中性皮肤

特征：全脸大部分都容易出现油光，中午尤其明显，需要经常去油。全脸的毛孔粗大明显，而且经常会有面疱、黑头或白头粉刺等。

③ 油性皮肤

特征：清晨或中午，面部T形区内有些油腻，或能看到毛孔。而面疱、黑头或白头粉刺经常出现在T形区或下巴处。

④ 混合性皮肤

特征：角质层很薄，甚至可明显地看到毛细血管，对外界的刺激反应非常敏感，肌肤比较容易受到伤害。

⑤ 敏感性皮肤

Check
测试你的肤质属于哪一种？

 方法1 ◆ **洗脸测试法**

洗脸测试法，是指通过洁面之后脸部紧绷的感觉所持续的时间长短，来判断自己皮肤的性质。它的操作方法很简单：洁面之后不使用任何的护肤保养品，试试面部紧绷感要过多久才会消失。

- 如果是干性肤质，紧绷感40分钟后才会消失；

- 如果是中性肤质，紧绷感30分钟后会渐渐消失；

- 如果是油性肤质，紧绷感20分钟就会消失；

- 而如果是混合性肤质，前额、T区的紧绷感20分钟后会消失，但双颊紧绷的感觉有可能持续到40分钟。

方法2 ◆ **纸巾测试法**

纸巾法的操作方法是：晚上睡觉前用中性的洁面产品进行洁面，不使用任何保养品，直接上床睡觉。第二天清晨起床后，用干净的纸巾轻轻擦拭面部，然后观察纸巾。

- 如果是干性肤质，前额、鼻子、双颊、下巴部位都比较干燥紧绷、缺乏光泽，而纸巾上仅有少许油迹，或者完全没有油迹；

- 如果是中性肤质，前额、鼻子、双颊、下巴比较光滑，并不干燥，而纸巾上的油迹不多；

- 如果是油性肤质，前额、鼻子、脸颊、下巴等四个部位会在纸巾上留下大面积的油迹；

- 如果是混合性肤质，前额、鼻子、双颊、下巴中有两三个部位出油，其他部位比较光滑或有些干。

●不同肤质最爱的DIY面膜

弄清了自己所属的肤质，才能开始进行有针对性的护肤保养。人们的肤质不同，所需要的保养方式也不同，面膜自然也有一番独特的讲究。

干性皮肤

干性皮肤最大的问题是皮肤干燥、紧绷，如果皮肤长期缺水，就会蜕皮甚至导致细纹产生。所以护理关键在于补充皮肤所缺乏的水分，并对干燥的肌肤进行滋养，防止或减少脱皮现象。

注意 要避免使用蛋清作为材料，因为蛋清去油脂的能力非常强，会刺激干性肌肤原本就非常薄弱的屏障，导致皮肤更加干燥。

干性皮肤最爱的面膜
- 补水保湿面膜
- 抗衰面膜
- 滋养型面膜

中性皮肤

中性皮肤既没有缺水的烦恼，也不会被油光和痘痘困扰。但皮肤的中性平衡状态是非常脆弱的，如果没有得到应有的护理，容易变为其他肤质。所以护理关键在于每天做好基本护理，包括清洁、补水、保湿等。

注意 面膜的选择要注重水油平衡，适当给肌肤补充一些养分。

中性皮肤最爱的面膜
- 保湿面膜
- 抗衰面膜

油性皮肤

油性皮肤最大的问题是油脂分泌旺盛，容易滋生痘痘等，化妆后也很容易脱妆。但它也有优势，就是对外界刺激的抵抗力比较强，皱纹的出现也比较晚。

所以，油性肌肤在面膜的选择上不必过多注重滋养，而应做好清洁控油工作，同时注意肌肤水分的充足。若出现痘痘、黑头，再进行针对性的面膜护理。

注意 DIY面膜时要避免使用酸奶，否则会加重油性的症状。

油性皮肤最爱的面膜
- 清洁面膜
- 补水保湿面膜
- 控油祛痘面膜
- 美白面膜

混合性皮肤

　　混合性肌肤的最大问题就是肌肤护理面临着复杂性、前额、鼻翼、下巴部位油脂分泌旺盛，而脸颊部位则缺油、缺水，容易干燥甚至脱皮。

　　 对不同部位要进行不同护理。油脂旺盛的部位要控油；干燥的部位要进行补水滋养。

混合性皮肤最爱的面膜
- 平衡保湿面膜
- 局部面膜

敏感性皮肤

　　敏感性肌肤的最大问题是对环境或外界的变化敏感，气温突变、紫外线强烈、化妆品的刺激等都很容易引起敏感反应。所以使用面膜时要加倍小心，选择比较温和的面膜材料，每次使用前都要测敏。

　　 要避免使用过敏性的果蔬，如芒果、桃子、芦荟等，以及光敏性的果蔬，如柠檬。

敏感性皮肤最爱的面膜
- 保湿舒缓面膜

Favorite
DIY MASK

Natural skin products

● 面膜选择因年龄而异

面膜的选择不仅要考虑到肤质异同，还要考虑年龄差异。虽然大多数面膜都没有严格年龄限制，但肌肤会随年龄而变化，所用面膜也要进行相应的调整。有针对性地选择面膜，才能发挥面膜的最大效用。

 ## 15 ~ 20岁
15 to 20 years old

人体内分泌最为旺盛的时期。油脂分泌比较多，毛孔也比较粗大，还常有青春痘和粉刺烦恼。所以最好以清洁为重点，选择一些清洁型面膜，同时做好保湿补水等基础护理。如果皮肤出现痘痘等问题，也需要一些针对性的面膜。

■最佳选择：深层清洁面膜、去角质面膜、控油祛痘面膜、补水保湿面膜、去黑头面膜

 ## 20 ~ 25岁
20 to 25 years old

皮肤状况比较稳定、细腻润泽、富有弹性，而且肌肤比较有活力，也不需要过多的滋养。但如果没有做好护理，很容易导致下一阶段肌肤快速老化。所以此时选择面膜的重点在于保湿补水等基础护理。同时，这时大多数女性内分泌仍然旺盛，对于清洁也不可忽视。

■最佳选择：补水保湿面膜、控油祛痘面膜、清洁面膜、去黑头面膜、美白面膜

 ## 25 ~ 30岁
25 to 30 years old

这是皮肤的转折期，是皮肤状况由顶峰开始走入衰老进程的时期。此时皮肤表面会积存一定的坏死细胞，皮肤粗糙老化现象开始出现，还可能出现肌肤暗沉、斑点等烦恼。所以，在保湿补水的前提下，还要进行抗衰老的护理，同时有针对性地进行美白、淡斑等护理。

■最佳选择：美白淡斑面膜、补水保湿面膜、清洁面膜、抗衰老面膜、细致毛孔面膜

 ## 30 ~ 35岁
30 to 35 years old

皮肤的老化程度进一步加深，肤色开始变得暗沉，皱纹和色斑的问题也进一步加重。此时除了基础护理之外，还要进行针对性的抗衰老护理，并选择适合自己肤质的美白面膜，对于斑点、皱纹等问题，都要选择针对性的面膜进行保养。

■最佳选择：补水保湿面膜、美白淡斑面膜、抗衰老去皱面膜、深层滋养面膜

 ## 35岁之后
After 35 years of age

皮肤分泌的水分和油脂明显减少，皮肤老化更加明显，需要护肤品来补充营养。所使用的面膜最好富含维生素A、维生素C、维生素E，可用果酸面膜来保湿和去除死皮。另外，应对皮肤松弛的抗衰老面膜也不可忽略。

■最佳选择：补水保湿面膜、去角质面膜、美白面膜、抗衰老去皱面膜、深层滋养面膜

●面膜DIY的四季法则

对肌肤进行保养，自然也不能忘了气候的因素。在雨水潮湿的黄梅天和寒冷干燥的三九天，肌肤所需要的护理截然不同。不妨根据季节的变化，进行面膜DIY的四季护理。

春季
Spring

Check!
◎春季适宜面膜：保湿补水面膜、美白面膜、清洁去角质面膜

春季的气候特征是冷暖变化较快，皮肤容易受到气温变化的刺激，加上花粉、粉尘等外界因素影响，在此时比较容易出现皮肤过敏，所以在肌肤护理上要注意清洁，同时避免使用一些刺激性较大的面膜材料。而我国许多地区在春季都有风多的特点，皮肤容易干燥，所以面膜中保湿材料不能少，最好每周能做1～2次保湿面膜。

此外，虽然春季的阳光并不强烈，但日照时间正在慢慢增长，所以，DIY面膜时也要考虑到防晒。

夏季
Summer

Check!
◎夏季适宜面膜：美白面膜、防晒修复面膜、控油祛痘面膜、保湿补水面膜

夏季紫外线是肌肤大敌，要将防晒作为重中之重，一方面在出门回家后及时进行晒后修复，一方面做一些美白面膜。当然，控油祛痘也是夏季主题，高温会导致油脂分泌更加旺盛，毛孔堵塞后会导致痘痘来袭，所以清洁、控油祛痘面膜绝不可缺。

此外，保湿补水也不能忘，尤其在日晒强烈、空气干燥的日子里，尤其要注意多做保湿面膜，或者在美白面膜中加入一些保湿材料。

秋季
Autumn

Check!
◎秋季适宜面膜：保湿补水面膜、美白面膜、抗衰紧肤面膜

　　秋季最大的气候特征就是干燥，要将保湿补水作为重点，并适当加大材料的使用剂量。如果皮肤由于干燥缺水而出现了小小的细纹，更需要及时进行抗衰老紧肤面膜护理。如果觉得脸部肤色比较暗淡，不妨试试去角质面膜，改善肌肤新陈代谢。

　　此外，秋季可能还留有夏季晒黑的痕迹，或者出现肌肤斑点，进行美白淡斑也很重要。

冬季
Winter

Check!
◎秋季适宜面膜：保湿补水面膜、抗衰面膜

　　冬季气温较低，而且气候干燥，肌肤仍然会存在与秋季同样的缺水问题，所以保湿补水面膜占据着重要的地位。同时，干燥环境也会带来细纹和皱纹，需要随时进行抗衰老面膜的护理。

　　需要注意的是，冬季敷面膜常常会有温度上的困扰，如果面膜过于冰冷，难免会在敷面时感到不适。所以DIY面膜最好避免那些过于凉爽的面膜材料，比如薄荷、酒精等，以免使肌肤受到刺激。此外，还可以对面膜进行加热，尤其是DIY乳状的面膜，可以放在手心温热一会，然后再涂抹到面部。

Natural
Mask

●掌握肌肤生物钟，把握面膜最佳时

敷面膜也需要考虑时间问题？当然。人体各部位的运行都有自己的生物钟，在不同时间段里，身体状态各不相同，我们的肌肤同样如此。只有掌握肌肤状况变化的生物钟，才能把握敷面膜的最佳时间。

23:00~05:00

人体细胞生长和修复最旺盛的时期，肌肤对护肤品的吸收力非常强，最适宜进行面膜护理。最好在热水沐浴打开毛孔后敷上保湿面膜，对肌肤补水保湿的效果极明显。也别忘了面膜后涂抹保湿霜锁水。但23：00点后时间较晚，为了不影响睡眠，也可将面膜时间稍稍提前。

05:00~08:00

细胞的再生活动降到最低点，淋巴循环缓慢，很多人发现起床后眼睛浮肿。此时皮肤状态不适合进行常规面膜护理，但许多女性需要改变黑眼圈或是脸色欠佳的状态，不妨进行一些局部护理，比如敷眼膜，以增强眼部的循环。

12:00~16:00

人们精神普遍较疲惫，身体血压和激素水平有所降低，肌肤状态也开始下降。很多人发现上午皮肤还光洁滋润，下午可能会出油或者干燥，还可能出现小小的细纹。所以，此时进行面膜护理，可以做一些保湿补水面膜以及紧肤面膜，并适量加入一点精华素。

08:00~12:00

肌肤的机能达到了高峰，人们的精神状态也比较好。此时肌肤细胞组织的抵抗力比较强，皮脂腺的分泌液很活跃，承受力比较好。所以如果有时间进行面膜护理，可以做去角质面膜、淡斑面膜、祛痘面膜等，肌肤在这时出现过敏现象的几率比较低。

16:00~20:00

血液中含氧量提高，肌肤对营养的吸收力也增强了。此时正是人们在外忙碌后回家的时刻，如果肌肤在外受到紫外线、大风、干燥气候、日晒伤害，回到家中应进行紧急护理，包括晒后修复面膜的护理。此外，由于这时肌肤的吸收力较好，也可以做一些滋养型的面膜。

20:00~23:00

肌肤微血管抵抗力最弱，不是最佳的面膜时间。但由于最佳面膜时间在23点之后，容易影响睡眠规律，大多数人仍选择这个时段做面膜。这就要求先做好测敏试验，防止过敏。敷面膜时需要静卧，为良好的睡眠做好准备，只有在真正放松和熟睡时，皮肤才能完成正常修复。

Natural Mask
基础护理，敷面膜前的准备工作

● 深层清洁，面膜护肤从洁面开始

完美的肌肤要从清洁开始，清洁是保养肌肤的根本。如果不好好卸妆及清洁毛孔，老死的角质细胞堆积在肌肤表面，不但令皮肤不能顺畅地呼吸，也会让暗沉、痘痘等问题接踵而来。此时，即使是再好的保养品，因为不能顺畅到达肌肤，也不会达到应有的效果。

1.洗净手

把手洗干净，因为不洁的双手揉出的泡沫对洗脸没有益处。用洗手液或者肥皂洗手，充分洗30秒，再用流动的清水把手洗干净。

2.冲掉外部尘垢

先用清水洗净脸上外部附着的灰尘污垢，才能让洗面乳更易发挥功效。

3.热敷

准备一盆热水，水温以稍有点烫手为宜，把毛巾放入热水中充分浸热，拿出，轻轻拧去多余的水分，打开毛巾轻轻盖在脸上，用手指将毛巾轻轻往下压，令毛巾贴紧面部和眼部肌肤，停留约30秒，使面部毛孔充分张开，并促进面部的血液循环。

Natural
Mask

4.按摩洁面

将洗面乳搓出泡沫，仔细轻柔地按摩脸部，除去毛孔中的污垢。T字区非常容易出油、长痘痘，但是不能因此就用力揉搓。要知道，过度用力，为了抵抗外来侵略，肌肤会由娇弱变得坚硬，长出厚厚的角质层。洁面时要注意由里向外、由下到上，双手用力适度，用手指指腹按摩或轻拍边缘洗脸，以流动的温水为佳。根据皮肤类型有针对性地选择洁面用品。好的洁面用品不但能清除皮肤深层的污垢，还具有较好的滋润作用，可以令肌肤保湿，同时还能消除皱纹，保持皮肤光滑、柔软。

5.深层洁面

用棉质毛巾吸干面部水分（不要用毛巾用力擦脸），将一匙食盐倒在手心，加点热水把食盐充分溶化成浓浓的盐溶液，再将盐溶液遍抹面部（眼部除外），轻轻画圈按摩，30秒后用清水冲洗。油性皮肤和每天化妆的人可以每天都用食盐洗面，干性和中性皮肤者则每周3次。使用盐溶液洁面可使面部更加干净清爽，皮肤也会变得细腻光洁。

6.拍化妆水

深层洁面完成后，用毛巾吸干面部水分，然后以拍打的方式向面部上化妆水，全脸均匀拍打约100下，可促进肌肤血液循环，保持肌肤光滑有弹性。当然，如果稍后要做面膜，则可以省去这一步骤。

Natural skin products

●面面俱到，牢记洁面小贴士

　　面膜的讲究不少，前期准备时的清洁工作同样如此。在洁面的过程中，还有一些注意事项是必须牢记在心的。

一天洗几次脸最合适

　　每天正常的洗脸次数最好为3次，除早晚之外，中间应增加一次。除此之外，户外活动时间过长或长时间在商场购物之后，也应该适当增加洗脸的次数。当然还要考虑自己的肤质、年龄和季节等因素。干性、敏感性肤质和年龄偏大者，应适当减少洗脸次数，并应慎重使用具有去角质功能的洁面化妆品。

不同的水温对面部肌肤的影响

　　水温过冷（20℃以下）：会对肌肤有收敛作用，可锻炼肌肤，使人精神振奋，但长期使用过冷的水洁肤，会引起肌肤血管收缩，使肌肤变得苍白，皮脂腺、汗腺分泌减少，弹性丧失，出现早衰，对肌肤滋养不利。

　　水温过热（38℃以上）：对肌肤有镇痛和扩张毛细血管的作用，但经常使用会使肌肤脱脂，血管壁活力减弱，导致肌肤毛孔扩张，肌肤容易变得松弛无力，出现皱纹。

必要时还得深度卸妆

　　需要注意的是，有些时候必须进行彻底的卸妆，才能进行面膜的保养工作。如果你在白天使用了化妆品，或者涂抹过隔离霜、防晒霜，晚上敷面膜之前，就必须要先卸妆了；此外，如果是油性肤质的人，或者经常处于空气污浊地带，也有卸妆的必要。

　　注意，如果只是使用了防晒霜，一般不用卸妆油卸妆，用一些清洁效果较好的洁面产品就可以，但是如果使用的是防水型的防晒霜，最好用卸妆油来卸妆，这样才能清洁得彻底。如果习惯使用粉底霜、隔离霜，或者含有粉质成分的防晒制品，因为含有较多的粉体，而且为了达到抗汗的效果，所以配方上会使用高附着力的成分，必须卸妆。

肌肤敏感时如何洁面

对于敏感肤质的人来说，任何微小的刺激都可能引起皮肤的不适。如果皮肤表面不洁物没有及时清除，这些不洁物就会被氧化，成为刺激皮肤的源头。敏感性皮肤要避免用碱性过高或过于强效的洁面产品洗面，健康皮肤的pH值在5～6，呈弱酸性，所以要选择弱酸性的洁面产品。另外，敏感性皮肤不要选择泡沫丰富的洁面产品，通常这类产品对敏感皮肤都会产生较大的刺激。

早晚洁面方法各不同

在早晨与晚上这两个时间段，洁面的方法也各不相同。一般来说，要最少准备两支以上的洁面产品，一支性质比较温和，适合在早晨使用，温和的洁面产品可以呵护早晨脆弱的肌肤；而另一支的清洁力更强，必须能够深层清洁肌肤，适合在皮肤劳累了一整天，积存了灰尘、油脂和妆容的晚上使用。

●完美卸妆，不同肌肤的零负担准备

如果你平时喜欢化妆，就更应该在肌肤疲惫了一天之后，用面膜给予它最温柔的呵护与滋养。而在这之前，进行彻底完美的卸妆也是十分重要的。对于不同肌肤来说，卸妆所使用的产品和方法也是不同的。

干性皮肤如何卸妆

干燥老化是干性皮肤常见的状况，因此给这类皮肤卸妆时，最好选用含胶原蛋白的洗面奶、营养水，以及使用维生素含量较高的植物性油脂制成的清洁霜。因为植物性油脂类产品或者含胶原蛋白的产品可以使干燥皮肤在清洁卸妆后，在皮肤表面形成一层滋润性的保护膜。这层保护膜有助于锁住水分，防止水分过早流失。然后再用化妆水涂在肌肤表面，就能够使皮肤变得柔软、滋润、亮泽。

干性皮肤在清洁卸妆的过程中，注意手部动作，应向斜上方打圈，并尽量在做每一个动作时都加上一点提拉手法，目的是让肌肤变得紧致而有弹性。有的人不注意动作，如果向下画圈，会使已经老化的肌肤变得更加松弛。

Natural
Mask

油性皮肤如何卸妆

出油、缺水是油性皮肤的最大特点，而且多数情况下缺水又是最严重的一项。这类皮肤多有毛孔被油脂堵塞的现象，因此又会因油脂的阻碍而影响皮肤对水分的吸收。所以，油性皮肤应该选用那些亲水性比较好、富含保湿因子且不含油脂的清洁乳来温和而彻底地清洁皮肤。这样在清洁后，就不会使皮肤流失过多的水分。然后再使用平衡营养水来调节皮肤的水油平衡。对于晚霜的选择应该以保湿滋润型的产品为主。

如果你属于油性皮肤，肌肤经常出现油光，还经常长痘痘，应该选用含有消炎、杀菌、防腐成分的洁肤产品，以帮助皮肤彻底摆脱污垢。然后再使用收缩水紧致肌肤，调理因污垢及油脂堆积而形成的粗大毛孔问题，避免毛孔进一步变大。

敏感性皮肤如何卸妆

敏感性皮肤在使用清洁卸妆产品时一定要谨慎选择，使用质地温和、具有轻微消炎杀菌作用、稳定性高的洁肤产品是最适合的，绝不能使用含有酒精、香料、色素等刺激性物质的产品，以免引起肌肤的过敏反应。

眼部及唇部如何卸妆

1.卸眼影：可以用化妆棉蘸取眼部专用卸妆品，在眼皮上先轻敷片刻，再轻轻往外擦，拭去眼皮上的眼影。如此重复数次，直至眼影完全卸干净为止。

2.卸眼线：卸眼线最便利的工具就是棉花棒。用棉花棒蘸取卸妆液，在画眼线的部位由内往外轻擦，可以轻松卸掉眼线，不会让卸妆液进入眼中对眼睛造成刺激。

3.卸睫毛膏：用一片干净的化妆棉垫在上睫毛和下眼皮之间，再用棉花棒蘸取卸妆液，一根一根将睫毛膏卸干净。如果睫毛膏卸不干净，不仅容易对睫毛造成伤害，而且那些残余的成分也可能进入到眼睛里，从而造成眼睛的过敏，甚至还会造成眼部感染。

4.卸唇膏：用化妆棉蘸取适量卸妆产品，先敷在嘴唇上，停留数秒后再擦。不论使用哪一款卸妆产品，卸妆之后一定要用大量清水冲洗干净，避免化学成分残留在脸上。

●洁面用品使用与选择

洁面是敷面膜前最重要的准备工作，这个过程中所使用的工具也不能马虎，无论是洁面的海绵，还是各类洁面产品，都必须根据具体情况来进行选择。

怎样使用洗面海绵

用洗面海绵来清洗面部T字部位和感觉油分比较多的部位，用手指将洁面产品在脸部揉开，然后用水冲洗干净，最后用柔软型的海绵把脸上的水轻轻拍干。记住是拍干，尽量不要做擦的动作，因为肌肤表面是十分脆弱的。用完海绵后，用温和的洁面产品把它清洗干净，放在通风的地方晾干就可以了。

怎样挑选优质洁面产品

适合自己肤质的产品就是好产品，它不一定是贵的或者是名牌。肌肤情况不同，对洗面乳的要求标准是不同的，对拥有健康肌肤的人来说，好的洗脸产品必须具有合理的洗净力，长期使用不伤害肌肤。

干性肤质由于角质层水分不足，所以可以选择洁面乳或洁面啫喱。

油性肤质则要选择一些清洁能力较强的洁面膏或者洁面皂。但油性肌肤者也不宜一味地想洗去脸上过剩的油腻而使用去脂力过强的产品。去脂力强的成分虽然能轻松地将肌肤表面的油脂去除，但也会同时洗去一些对肌肤具有保护防御作用的皮脂，长期如此反而弄糟了肤质。

因此，油性肤质者应使用温和、中度去脂的洁面产品，并且适当增加洗脸次数。洁面产品本身质量的好坏，主要取决于清洁成分本身，而不是那些号称有保湿、美白等作用的添加物。

中性肤质没有什么禁忌，可以根据自身实际需要，如美白、保湿、抗氧化等情况，选择有针对性的洁面产品。但洁面产品也不可使用过于频繁，以免破坏肌肤的水油平衡。

混合性肤质夏季可选用清洁力强的洗面奶，到了秋冬两季考虑清洁效果的同时，还要考虑滋润效果的洗面奶。同时，也可以根据不同部位，使用不同的洁面产品。

敏感性肤质最好选用一些无添加、无香料、无防腐剂的洗面奶，不然会加剧肌肤的敏感程度。

洗面乳需要经常更换吗

不同肤质的皮肤pH值也是不同的，肌肤对每种洁面产品都需要经历一个适应的过程，如果目前使用的洁面乳感觉良好则不需要经常更换，因为同一品牌的洁面产品常常使用同一种基础的油脂、增稠剂、固化剂、表面活性剂等。因此，它的酸碱值具有一定的特性。

如果频繁地更换洁面产品，容易导致肌肤对不同的酸碱度产生不适感，从而出现短暂的刺痛、脱皮或缺水现象。不过，间隔一段时间尝试一些新产品也是可取的，主要还是取决于自己肌肤的适应能力。

●巧手去角质，增强面膜功效

虽说面膜中也有专门用来去角质的产品，但如果能做好前期准备，在洁面的时候就做好去角质工作，那么在之后的敷面膜过程中，就能大大增强面膜的功效。

去角质的好处有哪些

去角质就是去除皮肤粗糙角质以及老化死细胞的过程。去角质可以促进皮肤的血液循环，加快新陈代谢，使细胞再生更加顺畅，皮肤呈现清新柔美、细嫩光滑的质感；同时还能去除皮肤表面覆盖的黑色素，改善肤色，使皮肤变得洁白有光泽。若是使用含自然植物成分的脱角质乳，还可溶解肌肤表皮层的老化细胞，具有温和摩擦作用，可去除表皮的老化角质及聚结的黑色素，改善肤色，使毛孔更加细致。

根据肤质选择适合的去角质方法

去角质绝对不能过度。角质层对肌肤起到防护的作用，过度去除就损坏了肌肤的保护膜，会出现干燥、起斑、发红、过敏等现象。

轻柔去角质：此法适合每周都要去角质的人。油性、混合性肌肤的人会每周定期做去角质的护理，所以推荐用轻柔型，按摩力度小、时间短，比如只按摩1分钟即用水清洗掉。

推荐去角质产品：含轻微去角质成分的洁面乳、爽肤水。比如用豆渣洗脸也有去角质的效果，只是相对专业去角质产品要温和许多，可以每天轻轻地在肌肤上揉一会儿。

全面去角质：适合每月才去一次角质的人。有些人习惯每个月固定做一次去角质护理，所以推荐全面型、按摩力度稍大的方式，时间也相应增长。

推荐去角质产品：相对专业的去角质产品，去角质能力强，力度也大。

哪些肌肤不宜去角质

一般说来，角质层薄且伴有红血丝的肌肤是不应该去角质的；有粉刺的肌肤在去角质的时候也应该特别注意，如果粉刺有发脓或发炎现象，就一定不要做。

● 选择合适的去角质产品

磨砂型

内含细微颗粒，在与肌肤摩擦时除去老化角质。但按摩力度要轻，不适合敏感肌肤。

适用肌肤类型：混合性肌肤、油性肌肤。

用法：取拇指大小，均匀涂在脸上。双手以由内向外画小圈的方式轻揉按摩面部，鼻窝处改为由外向内画圈，持续5～10分钟，按摩时轻重要适度，以免造成皮肤损伤。不宜天天使用，每2周1次。混合性皮肤可以在皮肤较油或者较粗糙的部位局部使用，持续时间不宜过长。干性及敏感皮肤慎用。如果皮肤有正在红肿发炎的痘痘则不能使用。

精华型

内含的精华成分会在不知不觉中溶解掉老化的角质，并补充细胞养分。溶解角质后，精华的营养成分随之渗透到肌肤里，所以称为精华型。

适用肌肤类型：干性肌肤、混合性肌肤和油性肌肤。

用法：每晚清洁之后，在保养晚霜之前使用，用手指轻轻按摩直至全部吸收。

洁面型

通过一些强力的洁面产品，也可以达到为面部去除老化角质的功效，但是能力一般比较弱。

适用肌肤类型：敏感性肌肤。其实一般来说，敏感性肌肤不建议进行去角质，因为这类肌肤的肌肤层相对其他肤质来说比较薄，所以较少会出现角质层过厚的情况。

用法：取适量于手心，加一点水，搓出泡沫后，双手以由内向外画小圈的动作轻柔按摩面部，T字区改成由外向内画小圈，按摩5分钟，清水冲洗干净即可。

Natural Mask

花样"膜"法，给你的肌肤加分

●DIY常用工具排排坐

工欲善其事，必先利其器。要制作真正有效的面膜，前期准备工作马虎不得。不仅要学习面膜的注意事项，更要准备好面膜DIY所需的一切工具，才能在随后的调制过程中不至于手忙脚乱、顾此失彼。

Common tools
DIY常用工具12种

1 计量匙 Measuring spoon
DIY面膜时常常说到的"1勺"或"1匙"，就需要这样的计量工具，用来取用正确剂量的材料。一般来说，1匙等于5毫升左右。

2 量杯 Measuring cup
主要用来计量那些剂量较大的材料，可以准确地计量材料的比例。如果没有，也可以使用家中的米杯。

3 玻璃器皿 Glassware
如玻璃小碗、小罐等，可以多多准备，用来盛放面膜原料、调制好的面膜汁水等，材质以玻璃为佳。

4 搅拌棒 Stirring rod
用来将面膜材料及其加工物搅拌均匀。如果没有，可以用筷子或汤匙代替。

5 刀具 Tool
DIY面膜的材料大多是蔬菜、水果等天然材料，刀具可以用来对材料进行切割，是必不可缺的工具。

6 榨汁机 Juicer
用来对蔬菜、水果进行搅碎、榨汁等处理。如今市面上许多榨汁机兼具榨汁、加热等多种功能，使用十分方便。

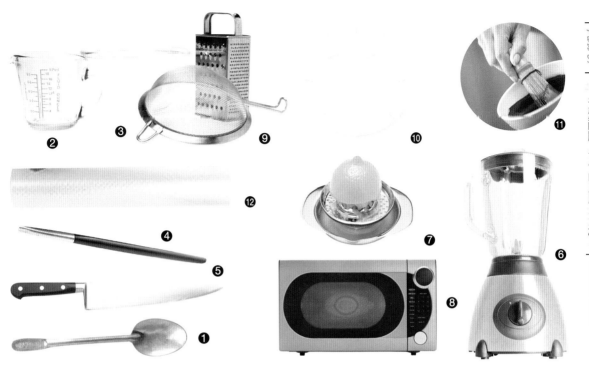

7 手动榨汁机 Manual Juicer

对于柠檬、柳橙、葡萄柚等水果，无法使用一般的榨汁机进行搅碎榨汁，但可以使用手动榨汁机，对这些水果进行挤压。如果没有，也可以用手挤出。

8 微波炉 Microwave

有些面膜材料在DIY时需要加热，微波炉方便快捷，可以迅速进行加热。

9 滤网 Filter

很多DIY面膜在制作时只取材料的汁液，这就需要用滤网将原材料的残渣过滤掉。如果没有，也可以用干净的纱布代替。

10 面膜纸 Paper mask

有些面膜材料的水分较多而且较稀，不易黏附在脸部，将面膜纸浸满材料的汁液，然后敷到脸上，可以保证材料中精华成分的充分利用和吸收。

11 面膜刷 Mask Brush

面膜刷既可以用来把面膜均匀地涂抹在脸上，也可以兼作搅拌棒使用。

12 保鲜膜 Wrap

敷完面膜后，有时也可以在上面多敷一层保鲜膜，可以促进肌肤表面温度升高，提升面膜的效果。

●三大标准帮你巧选面膜纸

面膜纸是DIY面膜过程中不可缺少的角色，一般分为压缩型与非压缩型。压缩型面膜纸大小与五毛钱硬币相同，厚度大约3毫米，方便携带；而非压缩型则厚度、尺寸更容易选择，使用也很方便。无论是何种面膜纸，挑选都应该遵循以下三个标准：

● Standard 1
尺寸适宜

面膜纸的尺寸适宜，首先要求整体上的大小合适。既不能过大，也不能过小，而应该能够完全盖住脸部，而且剪裁符合大多数人的脸型。

其次，在细节处的尺寸、剪裁也要符合人体脸部的需求。纸面膜会留出眼睛和嘴部的位置，这样是为了在敷面膜时避开这些比较娇弱的地方。这就需要在挑选时注意，面膜纸所留出的空位是否符合你的眼睛、嘴巴位置，以及纸张是否贴合你的面部曲线。

● Standard 2
厚度足够

很多女性青睐轻薄的面膜纸，认为它敷上去更加轻松舒适，但事实上，面膜纸一定要达到足够的厚度，才能保证面膜的营养精华更多地被面膜纸吸取。此外，如果厚度不够，面膜纸敷上脸蛋后，浸满的液体很容易流淌下来，造成浪费。所以，最好选择比较厚的面膜纸，让面膜材料的精华液或营养成分被面膜纸牢牢"抓住"。

● Standard 3
质地细腻

面膜纸与脸部肌肤"亲密接触"，质地首先要柔软，这样才能紧密地与脸部相贴合，让精华营养成分被脸部充分吸收。其次，面膜纸敷上后的触感要舒适、细腻，不让脸部肌肤感觉粗糙，这样才能保证脸部不会受到伤害。

●面膜用水，纯净不是唯一标准

水是DIY面膜时非常重要的角色。无论是果蔬，还是面粉、蜂蜜、植物油等其他材料，都离不开水的帮忙。所以，慎重选水很重要。

1.矿泉水/纯净水/自来水

在DIY面膜使用水源的选择上，一般建议使用矿泉水。矿泉水对材料中养分的吸收力更强，能让养分更均匀地分布在水中。自来水可能存在细菌问题，而纯净水的吸收力不及矿泉水。

2.软水/硬水

如果没有现成的矿泉水，那么只能用自来水代替。但水有软水和硬水之分，自来水也有软硬度的问题。自来水通常来自河水，属于中等硬度，其中所含的金属元素较多，很容易与材料中的养分发生作用，形成一些不溶于水的物质，造成难以去除的污垢。

如果自来水过硬，不妨用煮水的方法令其软化。方法是取适量自来水，放在干净的容器中煮开，然后放置1小时以上，待其降到所需要的温度之后就可以使用了。

膜DIY常常借助各种粉状物的帮忙。无论是家中常见的面粉，还是专用的珍珠粉，都是DIY过程中不可忽视的好帮手。

• Flour 面粉 •

如今DIY面膜经常都会用到面粉，面粉调水后敷脸，具有很好的收敛性，能够收缩毛孔，让肌肤光滑细腻，还有清洁作用。挑选面粉时应注意：

①看包装：应有QS质量安全标识，生产日期、保质期等要清楚。

②看色泽：色泽是乳白色或微黄本色，若是灰白色甚至青灰色，不建议购买。

③闻味道：气味应该是清香的，没有酸、臭、霉等异杂气味。

④捏水分：好面粉捏起来手感细腻，非常均匀，用力捏很容易散开，不会结在一起。

⑤购买小包装：这样可以保证面粉的新鲜度。

• Pearl powder 珍珠粉 •

珍珠粉也是DIY面膜尤其是美白面膜材料中的常客，具有美白、控油、祛痘等多种功能。但目前市面上珍珠粉真假、优劣难辨，需要在购买时掌握这些标准：

①看质地：好珍珠粉色泽洁白均匀，不含杂质。

②摸手感：捏取少许珍珠粉，如果细腻光滑，容易吸附在肌肤上，则质量不错。

③闻气味：好的珍珠粉闻起来有淡淡的腥味，但没有其他异味。

3.冷水/热水/温水

调配DIY面膜，使用冷水、热水还是温水好？一般来说，大多数面膜都建议使用温水。因为有些面膜材料中的营养成分，在冷水中可能无法散发出来；而如果面膜用水过热，有些材料中的有机物成分又可能被分解，影响肌肤对面膜养分的吸收。所以，一般建议用温水。

但是，有些特殊情况则需要特殊考虑。比如晒后修复面膜，一般不提倡使用温度过高的水，即使是温水也可能对肌肤造成刺激，那么建议用冷水或者温凉水。

●面膜用粉，精挑细选有章法

DIY面膜的材料大家族中，常常少不了粉状物的出现。由于粉状物具有极佳的粘附性，涂抹在脸部后，能非常服帖地留在脸部肌肤上，所以面

●通经开穴，敷面膜前妙手辅助按摩

　　如果你在美容院进行肌肤护理，一定会发现在敷面膜之前，常常还有个按摩的程序，这也正是专业面膜护理与普通面膜护理的不同所在。如果在敷面膜前，对脸部肌肤进行适当的按摩，能够使面部经络通畅，改善血液循环，让肌肤的吸收能力更上一层楼。

敷面膜前辅助按摩操

辅助按摩操步骤		
1	涂抹按摩霜	首先在需要按摩的各部位，涂抹适量的按摩霜。
2	按摩额部	首先伸出两手食指，从眉间向上进行推按；然后再顺着额头，用螺旋状的方向向太阳穴按摩；最后在太阳穴的位置停下，用适宜的力度按压3秒。
3	按摩眼周	从内眼角向眼尾方向，上下轮换轻柔按摩，最后在内眼角、眉骨下方及眼尾三个位置各按压3秒。
4	按摩唇角	保持微笑的表情，让唇部纹路展开。然后从人中部位开始，沿着唇部向四周进行按摩。
5	按摩脸颊	两手放在下巴上，从下巴向两耳下方的位置推按，然后顺着脸部的轮廓，用螺旋状的手法轻轻按摩。然后轻轻拉动耳垂3秒，再以螺旋状的手法向太阳穴部位慢慢推按。
6	按摩下颌	手指沿着脸部轮廓轻轻拍打，让下颌肌肤保持弹性。
7	擦去按摩霜	将按摩霜仔细擦去，用温热的毛巾轻轻敷在脸部，让肌肤充分休息放松。
8	镇静肌肤	双手互相揉至微温，然后将双手的手掌覆盖在整个脸颊上，保持姿势10秒。
9	拍打按摩	最后，对脸部进行轻轻地拍打，增加肌肤的弹性，进一步增强活血化淤、通经开穴的作用，让肌肤的细胞运动更加活跃，以利于接下来敷面膜时对营养成分的吸收。

●轻松面膜护理五部曲

做好了完全的准备，面膜护理现在就要开始了。不过别忙着将面膜往脸上抹，面膜护理是一道复杂的工序，包含着五个步骤，任何一个步骤的疏忽，都可能影响面膜的效果。

◆ 清洁肌肤

将双手洗净，除去手部和脸部的多余物件，如戒指、手表、隐形眼镜等。使用洁面产品，对皮肤进行彻底清洁。然后用热毛巾敷脸2～3分钟。

◆ 正式涂抹

将调配好的DIY面膜，按顺序涂抹在脸上。如果使用面膜纸，则是将浸好营养液的面膜纸敷在脸上。

面膜护理/5部曲

◆ 放松敷面

平卧放松休息。不要说话或做其他事，最好闭上眼睛，让脸部肌肉完全放松舒展。敷面时间一般是10～30分钟，不同面膜所需时间不同，但大多不超过30分钟。

◆ 清洗面部

及时清洗脸上的面膜，注意不要使用粗糙的毛巾，用使用双手，轻柔地一边按摩脸部，一边将面膜洗去。不要让面膜残留在脸上，否则可能造成污染。

◆ 滋养护理

洁面后及时使用保湿型的化妆水，涂抹滋润霜进行锁水，轻柔地按摩眼周和唇周，轻拍脸颊和额头，帮助肌肤提高吸收效果。

●巧手敷面膜，小动作有大讲究

在面膜护理的全套步骤中，最复杂的要数敷面膜的动作了。如何才能把调配好的面膜服服帖帖地涂抹在脸上，让它发挥最大的效用？一般来说，分为两种情况。

◆ 涂抹型

有些DIY面膜在进行制作之后，可以将加工好的材料直接涂抹在脸部。这类面膜的涂抹步骤是：

① 将调制好的面膜材料挤在手心，或者用面膜刷挑起。

② 首先涂抹颈部、下颌、两颊，注意避开痘痘或发炎的部位。

③ 然后涂抹细处，顺序为鼻、唇、额头，注意这些部位油脂较多，应稍微涂厚，以盖住毛孔为准。避开眼睛和唇部。

④ 仔细对镜检查，如果有涂抹不均匀处，再进行补涂。

◆ 面膜纸型

有些DIY面膜在进行制作之后，需要用面膜汁液浸透面膜纸，然后敷在脸上。这类面膜的使用步骤是：

① 将面膜纸放入面膜汁液中，完全浸满。

② 将面膜纸拿起，将其敷在脸上。

③ 按照面膜纸的剪裁稍微调整，力求面膜与肌肤紧密贴合。

④ 然后用手指轻拍，将气泡和空气挤压出去。

Mask ·
你有这些DIY面膜误区吗?

NG 1

一次性做很多面膜，存放起来慢慢用。

　　DIY天然面膜由于不含防腐剂，非常容易变质，所以最好在制作时控制用量，一次性用完。但人们往往无法准确估计一次DIY面膜的量，可能会剩下少许。这时不妨用剩下的营养液涂抹脖子、手臂、双腿等部位，也可以滋养这些部位的肌肤。

NG 2

把剩下的面膜装起来，和护肤品放一起。

　　如果不小心做了过多的面膜，在敷面膜后还剩下很多，千万不要像对待市售面膜那样存放在浴室，否则浴室中潮湿的空气很容易让面膜迅速变质。可以用干净的瓶罐存放，盖上盖子并拧紧，然后放入冰箱中，注意避开冰箱里有较重味道的食物。此外，存放在冰箱中的面膜也要尽快用完，不能久放。

NG 3

涂面膜时涂得越厚越好。

　　涂抹面膜的厚度应以肌肤需求为准，并非涂得越厚越好。一般只要保证脸部所需部位涂满即可。如果涂抹得过厚过多，超过肌肤所需营养量，肌肤也不可能再吸收更多的营养。

NG 4

少涂营养液，防止它从脸上流下来。

　　因害怕浪费而将面膜涂得很薄，则陷入了另一极端。如果涂抹厚度不够，无法让肌肤得到充分滋养。只有厚度足够，盖住整个脸部，才能形成面部的密封性护养，促进血液循环，让毛孔扩张，帮助吸收营养，保证面膜效力。

NG 5

敷完面膜后不再使用其他护肤品。

　　面膜后是否还需要使用其他护肤品，取决于面膜本身性质。某些市售免洗面膜，敷完后不必再使用其他护肤品；但敷DIY天然面膜时，大多数面膜都需要在敷完后清洗，然后进行基础保养，才能保证为肌肤锁水，防止水分的流失。

No Mistakes

Mask
DIY面膜使用方法常见问题

Q&A

Q1
天然面膜听起来很安全，还需要做过敏性测试吗？

Q2
DIY面膜制作完成，应该怎么给肌肤做过敏性测试呢？

Q3
敷面膜时总觉得脸上有点刺痛，为什么？

Q4
DIY面膜的效果真不错，如果每天敷，效果是否更好？

做任何一款新的面膜之前，都必须先进行过敏性测试，保证面膜的安全性。有些人认为天然面膜可能比较安全，但实际上，过敏的原因非常复杂，任何成分都可能对肌肤造成刺激。所以，在DIY一款新的面膜时，一定要做好过敏性测试。

过敏性测试的部位，一般选在耳后和手肘的内侧。手肘内侧的肌肤更易于观察，可以仔细观察面膜涂上后肌肤的变化情况；耳后肌肤较为敏感，而且因为靠近面颊，如果面膜刺激性过大，也可以第一时间发现。将调制好的面膜涂抹少许于这两处，停留12小时，如果出现了发红、瘙痒或者气味刺鼻等现象，就要停止使用。

天然材料仍然可能对肌肤造成刺激。如果敷面膜时偶尔感到刺痛，刺痛感片刻后就消失，说明肌肤对刺激的接受度尚可，不必过于担心；但如果刺痛感明显而且持久，就应立即停止敷面膜，将脸上的面膜洗干净，然后再使用具有舒缓功能的爽肤水，让肌肤得到休息。

面膜效果虽好，但未必能天天敷。这取决于面膜本身的种类。一些刺激性较小的面膜，尤其是保湿型面膜，材料性质温和，可以每天使用；但去角质面膜、去黑头面膜等，对肌肤的刺激性较大，不建议每天使用。此外，营养精华较多的面膜，如果每天使用，肌肤无法完全吸收，也会对肌肤产生不利影响。

清洁去角质面膜，
瞬间绽放水润光彩

1 肌肤润透，离不开彻底清洁

现代社会环境恶化，走出户外，不时会遭遇风沙、灰尘、紫外线的肆虐；坐在室内工作学习，也常常由于辐射的缘故，脸部容易被灰尘所侵扰。而由于肌肤本身新陈代谢的规律，也会不断产生油脂与老化的角质层，需要我们进行彻底的清洁，还脸蛋一个光彩照人的新形象。

清洁去角质面膜两大效用

清洁去角质面膜顾名思义，是用来对肌肤进行清洁的面膜。它对肌肤可以起到两种作用。首先是基础的清洁，一般是通过DIY材料中含有吸附作用的成分，将肌肤毛孔中的污垢吸附出来，从而让肌肤变得更加洁净，防止毛孔的堵塞。

其次是去角质，也是更深一层的清洁。借助DIY材料中的去角质成分，将那些堆积在肌肤表面的老化角质去除，从而促进肌肤细胞的新陈代谢。一般做完去角质面膜之后，能明显感觉到肌肤变得柔嫩光滑，不再暗沉，变得更有神采。

清洁去角质，涂抹是关键

对于清洁去角质面膜来说，涂抹面膜是一个关键的步骤。在将制作好的DIY面膜涂抹到脸部时，一定要保证涂抹厚度，不要为了贪图方便而只涂薄薄的一层。最好多涂几遍，让肌肤完全被覆盖住，除了眼周、嘴唇等部位外，没有其他肌肤暴露于外。而鼻翼旁、嘴角旁等容易被忽略的边边角角，也一定要照顾到，不能忘记。只有这样让肌肤完全"密封"15分钟以上，肌肤的温度才能升高，皮脂才会有足够的时间被软化，老化了的角质层才能松动，从而被面膜吸附出来。

Natural
Mask

■ NATURAL MASK

2 清洁去角质面膜常用材料大公开

○蜂蜜

蜂蜜具有良好的清洁功效，能够有效地去除毛孔中的污垢，促进皮肤新陈代谢。同时，蜂蜜还有滋润的功能，对于肌肤有活化和润泽作用，能有效改善皮肤营养状况，增强皮肤的活力和抗菌力，减少色素沉着，防止皮肤干燥，使肌肤柔软、洁白、细腻，是清洁面膜不可缺少的天然材料。

○面粉

面粉一般指小麦粉，富含蛋白质、碳水化合物、维生素和钙、铁、磷、钾、镁等矿物质。其粘附性非常好，对于肌肤具有很好的清洁作用，能够有效去除毛孔中的老废角质和污垢，让毛孔呼吸顺畅。

○酸奶

酸奶是以新鲜的牛奶为原料，经过巴氏杀菌后再向牛奶中添加有益菌，发酵后冷却而成的奶制品。酸奶中的乳酸，有不错的保湿功效，还有去角质的作用，可让肌肤快速恢复光泽、嫩滑。

○燕麦

燕麦又称为雀麦、野麦，它的颗粒能够有效地清洁肌肤，去除肌肤中的老废角质，毛孔中的油脂、脏污都可以得到清洁。而且燕麦营养丰富，用作面膜还能帮助改善肤色暗沉，让肌肤变得亮白又红润。

○菠萝

菠萝具有很好的吸附作用，是清洁去角质面膜常用的材料，可以消除肌肤老化的角质，防止毛孔堵塞，是超强的除垢能手。此外，菠萝的果肉还具有去毒和美白的功效。

3 清洁去角质面膜注意事项

🍃 加热肌肤后再使用

清洁去角质面膜一般都是通过去除毛孔中的皮脂和污垢来达到清洁的目的，所以敷面膜之前不妨用蒸汽对肌肤进行熏蒸，使毛孔打开，这样有利于增强面膜的使用效果，也能有助于肌肤吸收面膜中的养分。如果没有熏蒸的条件，也可以用热毛巾先敷一下脸。

🍃 对痘痘区别对待

脸上有痘痘，在使用清洁面膜时要区别对待。如果痘痘没有出现伤口和发炎现象，可以使用清洁面膜，因为许多清洁面膜都含有控油成分，对于痘肌是有好处的；但如果痘痘出现了发炎肿胀的现象，或者已经出现了明显伤口，那么就应该避免使用清洁面膜，或者在使用时避开这些部位，否则可能会造成进一步感染。

🍃 去角质面膜不能频繁使用

去角质面膜的效果一般都比较明显，敷完面膜后立即就能感到肌肤光彩明亮、焕然一新，但千万不要因为这样就频繁使用去角质面膜。因为肌肤的角质是一道天然屏障，对肌肤具有保护作用，能防止水分的流失，并能维持肌肤酸碱平衡。一般来说，角质层的代谢周期是28天，如果频繁去角质，肌肤失去保护，会变得非常敏感。

🍃 清洁面膜不能代替清洁护肤程序

清洁面膜以清洁为名，但并不表示它可以代替常规护肤步骤中的清洁程序。所以在做清洁面膜之前，仍然需要先用洗面奶等洁面产品进行清洁，完成基础清洁。然后再使用面膜，进行深层的清洁。这是两个完全不同的护肤步骤，不能互相代替。

❈MASK

清洁去角质面膜
Exfoliating Facial Mask

绿豆粉去角质面膜

■ 准备材料：绿豆粉2大匙、蒸馏水适量。

■ 轻松DIY：**1.**将绿豆粉放入面膜碗中。**2.**将蒸馏水加入绿豆粉中，搅拌均匀即可。

使用方法 洁面后，将调好的面膜均匀地敷在脸上，15～20分钟后，用温水洗净即可。每周2～3次。

美丽功效 此款面膜是将绿豆粉和蒸馏水搭配，清洁肌肤、软化角质的效果非常明显。

〔美人物语〕

*绿豆粉具有很好的清热、排毒的作用，能够有效预防青春痘的产生，还能深层清洁肌肤，软化肌肤角质层，去除肌肤的老废角质。

★适用肤质：任何肤质。

蜜桃燕麦去角质面膜

■ 准备材料：蜜桃1个、蜂蜜1小匙、燕麦2小匙。

■ 轻松DIY：**1.**蜜桃洗净，去核，去皮，切块。**2.**将桃块放入锅中，煮至软熟，取出，压成泥状。**3.**将蜂蜜、燕麦一同加入蜜桃泥中，充分搅拌均匀。

使用方法 洁面后，将面膜均匀地涂在脸上，避开眼部、唇部肌肤，15分钟后，用温水彻底洗净即可。

美丽功效 此款面膜用蜜桃搭配燕麦、蜂蜜，能够彻底地清除毛孔中的污垢及毒素。

★适用肤质：中性、油性肤质。

★适用肤质：任何肤质。

〔美人物语〕

*芦荟含有皂素苷、多种氨基酸和矿物质，具有良好的抗菌、清洁、保湿功效，是消炎、美白肌肤的美容佳品。需注意的是，有伤口或痘痘的肌肤不宜使用；而有些人对芦荟皮有过敏反应，在制作本款面膜时，最好先将芦荟去皮，以免引起不适。

★适用肤质：油性肤质。

黄瓜芦荟去角质面膜

■ 准备材料：黄瓜1/2根、芦荟1片。

■ 轻松DIY：1.黄瓜洗净，去皮；芦荟洗净，去皮，二者一同放入榨汁机中，榨取汁液。2.用无菌滤布滤取汁液。3.将黄瓜汁、芦荟汁一同放入容器中，充分搅拌均匀即可。

使用方法 温水洁面后，将面膜均匀地涂在脸上，避开眼部、唇部肌肤，约15~20分钟后，用温水清洗干净即可。每周1~3次。

美丽功效 此款面膜将芦荟与黄瓜搭配，可以同时为肌肤补充维生素C、氨基酸和黏多糖体，使肌肤更加嫩滑。

燕麦果奶去角质面膜

■ 准备材料：奶酪1小片、蜂蜜2大匙、燕麦片3大匙、苹果1/2个、鸡蛋1个（取蛋清）、水适量。

■ 轻松DIY：1.将燕麦片放入沸水中拌匀，用大火煮至糊状。2.苹果洗净，去皮、核，切成小块，倒入榨汁机中，榨汁。3.苹果汁、蛋清、奶酪、蜂蜜加入燕麦糊中调匀即可。

使用方法 洁面后，将面膜均匀地涂在脸上，避开眼部、唇部肌肤，10~15分钟后，用清水洗净即可。每周1~2次。

美丽功效 此款面膜能有效去除角质，清除黑色素，消除肌肤深层污垢与毒素。

★适用肤质：任何肤质。

番茄菊花面膜

- ■准备材料：小番茄3～5个、干菊花10朵、全脂奶粉2大匙、沸水适量。
- ■轻松DIY：1.将菊花泡在沸水中约3分钟，用无菌滤布将残渣滤去。2.将小番茄洗净，去蒂，捣成泥状，与奶粉一同放入菊花水中，调匀即可。

洁面后，将面膜均匀地敷在脸上，避开眼部、唇部肌肤，约15分钟后，用清水彻底洗净即可。每周2～3次。

(美丽功效) 此款面膜将小番茄、菊花和全脂奶粉搭配使用，能增强清洁功效，去除老化角质。

〔美人物语〕

*饱满多汁的小番茄，对皮肤非常有益，含有丰富的维生素、矿物质、抗氧化成分，具有抗氧化及净化肌肤的功效。此外，番茄榨汁敷脸还有去死皮的作用。

椰子汁蜂蜜面膜

- ■准备材料：椰子汁3大匙、蜂蜜1大匙。
- ■轻松DIY：将椰子汁和蜂蜜搅拌均匀即可。

(使用方法) 洁面后，用热毛巾敷脸，将面膜均匀地涂在脸上，15分钟后，用清水洗净即可。每周1～2次。

(美丽功效) 《本草纲目》上说，椰子能使人面色有光泽，而且能治疗体癣和皮肤病，是极佳的护肤天然品。椰子汁与蜂蜜相融合，再以热敷的手段作为辅助，此款面膜能够起到软化角质、收敛毛孔的作用。

★适用肤质：任何肤质。

★适用肤质：敏感性肤质慎用。

〔美人物语〕

*如果你背上有小红痘，用食盐加酸奶应该能有所缓解，两种东西调匀敷在痘痘上，10分钟后，轻揉即可把死皮去掉。

精盐酸奶面膜

- ■ **准备材料：** 精盐2大匙、酸奶1大匙。
- ■ **轻松DIY：** 1.取出精盐，放入面膜碗中。2.加上酸奶，调匀即可。

使用方法 洁面后，用热毛巾敷脸，将面膜均匀地敷在脸上，20分钟后，用清水洗净即可。每周1~2次。

美丽功效 精盐的颗粒均匀幼细，而且遇水后容易溶化，涂在皮肤上加以按摩的话，可有效去除脸上污垢和老化角质，同时有效维持皮肤滋润不紧绷。与同样能去死皮的酸奶一同做面膜，还具有杀菌消毒的作用，洗脸之后会觉得干爽洁净无比。

红豆酸奶去角质面膜

- ■ **准备材料：** 纯酸奶2小匙、红豆粉10克。
- ■ **轻松DIY：** 红豆粉与纯酸奶充分搅拌均匀至容易敷脸即可。

使用方法 洁面后，用热毛巾敷脸，将面膜均匀地涂在脸部，20分钟后，用清水洗净即可。每周2~3次。

美丽功效 此款面膜中红豆粉的细微颗粒可以充分渗入细毛孔清除脏污，还能按摩肌肤，使肤色白里透红，酸奶也会使脸色更加明亮润泽。

★适用肤质：敏感性肤质慎用。

绿茶燕麦面膜

- **准备材料：** 新鲜绿茶100克（干品50克）、燕麦片20克、温水适量。
- **轻松DIY：** 1.选用新鲜绿茶，晒干，研成粉末，做成茶渣。2.将茶渣、温水装入一个可以密封的容器中，密封好后用力摇晃1分钟，然后倒入碗中。3.在茶水中加入燕麦片调成糊状即可。

使用方法 洁面后，将面膜均匀地敷在脸上，15分钟后用温水洗净。每周2～3次。

美丽功效 燕麦可以去死皮，令皮肤变得细腻。同时，燕麦还有较多的维生素E，具有较好的抗氧化作用。茶渣可以吸收脸上的油脂。此面膜不仅有抗氧化作用，而且可以持久保持脸部清爽。

〔美人物语〕
*燕麦有降血脂的作用，可以改善血液循环，缓解压力；燕麦含有的丰富矿物质，帮助皮肤吸收营养。

★适用肤质：油性肤质。

绿茶粉蛋黄面膜

★适用肤质：干性肤质。

- **准备材料：** 绿茶粉10克、面粉1大匙、鸡蛋1个（取蛋黄）。
- **轻松DIY：** 1.将面粉和蛋黄搅拌均匀。2.加入绿茶粉搅匀即可。

使用方法 洁面后，用热毛巾敷脸，将面膜均匀地涂在脸上，20分钟后，用清水洗净即可。每周1～2次。

美丽功效 此款面膜含有绿茶素，有抗菌消炎的功效，是安抚肌肤的极佳成分，其中还含有大量维生素C，可以为肌肤去角质，使肌肤美白柔嫩。

★适用肤质：任何肤质。

〔美人物语〕

*如果家里没有搅拌机，可以直接在超市购买绿豆粉。此外在这款面膜中加上1/2匙绿茶粉效果也非常好。

绿豆蛋清面膜

■ **准备材料：** 绿豆粉2大匙、鸡蛋1个。

■ **轻松DIY：** 1.鸡蛋磕开，取蛋清备用。2.将蛋清和绿豆粉搅匀即可。

使用方法 洁面后，用热毛巾敷脸，将面膜均匀地涂在脸上，20分钟后，用清水洗净即可。每周1～2次。

美丽功效 蛋清含黏蛋白，能使肌肤迅速紧绷起来，抚平皱纹，令肌肤充满弹性。绿豆中的维生素E能抑制脂质过氧化反应，保持胶原组织不断裂，令肌肤富有弹性。

树莓牛奶面膜

■ **准备材料：** 树莓60克、牛奶100毫升。

■ **轻松DIY：** 1.将树莓捣碎，用筛网将果汁过滤至碗中，保留果肉和种子。2.将果肉和种子加入牛奶中，搅拌均匀即可。

使用方法 洁面后，用热毛巾敷脸，将面膜均匀地涂在脸上，避开眼部和唇部的肌肤，20分钟后，用清水洗净即可。每周1～2次。

美丽功效 此款面膜中的树莓有去角质的功效，再配以牛奶则增添了使肌肤更加亮泽的功能。

★适用肤质：任何肤质。

柚子燕麦面膜

- **准备材料：** 柚子1/4个、燕麦粉20克。
- **轻松DIY：** 1.将柚子洗净，去子，掰成块，放入榨汁机中榨汁，用无菌纱布滤去杂质。2.将柚子汁加入燕麦粉中，充分搅拌均匀即可。每周1～2次。

- **使用方法：** 洁面后，将面膜均匀地涂抹在脸上，用手轻轻按摩，约10分钟后用温水洗净即可。

- **美丽功效：** 柚子肉中还富含类胰岛素、维生素C以及有机酸等成分，有降血糖、降血脂、减肥、抗菌、抗氧化等功效。而燕麦也有去死皮、抗氧化作用。此款面膜具有抗氧化、去死皮和清洁的功效。

〔美人物语〕

*柚子的味道清香、酸甜、凉润，营养丰富，是非常受欢迎的水果，更是美白嫩肤的好搭档，但皮肤敏感的MM在使用前一定要做测试，因为柚子中含有的酸性物质可能会让敏感肌不适。

★适用肤质：除敏感性肤质外的任何肤质。

洋甘菊舒缓去角质面膜

- **准备材料：** 燕麦片50克、洋甘菊香精油1大匙、纯净水25毫升、甘油1小匙。
- **轻松DIY：** 将全部材料一起放入面膜碗中，调成糊状。

- **使用方法：** 洁面后，将面膜均匀地敷在脸上，约15分钟后用清水洗净，可以一边洗一边轻轻按摩。每周1～2次。

- **美丽功效：** 洋甘菊精油具有舒缓镇静肌肤的作用，而燕麦片可以去除皮肤老化角质层，并且具有抗皮肤老化功能。经常使用本款面膜可令皮肤柔嫩有光泽。

★适用肤质：任何肤质。

香蕉蜂蜜面膜

- ■ 准备材料：香蕉1根，牛奶2勺，蜂蜜1勺。
- ■ 轻松DIY：1.香蕉剥皮，切块，捣成泥状。2.加入牛奶和蜂蜜，均匀搅拌成糊状即可。
- 使用方法：洁面后，用热毛巾敷脸，再将面膜均匀地敷于面部，20分钟后，用温水洗净即可。每周2~3次。
- 美丽功效：此款面膜中含有多种营养成分，能有效滋养肌肤，既能清洁肌肤，又能为肌肤补水，还可有效防止肌肤产生皱纹，令肌肤润泽光滑，弹性十足。

★适用肤质：干性、混合性及敏感性肤质。

〔美人物语〕

*香蕉质黏，很方便拿来敷脸。其含有的果酸与丰富的维生素，不仅具有良好的滋养功效，而且容易渗入皮肤。

★适用肤质：油性肤质。

天然木瓜抗敏面膜

- ■ 准备材料：木瓜20克、蜂蜜15克、纯牛奶50毫升、薰衣草精油2滴。
- ■ 轻松DIY：1.把木瓜洗净，去皮，去子，切成小块，放于搅拌机中，搅打成泥状，放入面膜碗里备用。2.将蜂蜜、纯牛奶、薰衣草精油一同倒入面膜碗中，将其充分搅拌均匀即可。
- 使用方法：洁面后热敷3分钟，取面膜均匀涂抹在脸部，15分钟后洗净并进行护理。每周2~3次。
- 美丽功效：木瓜可促进细胞新陈代谢，令肌肤美白明亮。

补水保湿面膜，
缔造润白水美人

1 面膜保湿，效果最快最稳定

保湿面膜的功能，主要是为肌肤补充水分并保持肌肤的湿润。在市售面膜中，保湿面膜是最常见的品种。而在DIY面膜时，保湿面膜也是用料最为广泛的面膜。

保湿面膜，见效最明显的面膜

经常使用面膜的女性都会发现，保湿面膜的效果通常是最为明显的。原本干燥甚至有细纹的肌肤，在敷完面膜之后，立刻就会变得水水嫩嫩，这都是因为肌肤在面膜的呵护下，已经"喝足水"的缘故。在面膜的密封性环境之下，面膜中的水分子都慢慢渗透到肌肤中，让干燥的肌肤变得润泽。此外，由于肌肤的含水量变高，肤色也会显得更加白皙细腻、富有光泽。

不同肌肤保湿面膜的选择

干性肤质是最需要进行保湿的肤质，尤其在夏季晒后水分流失严重，需要有规律地进行保湿面膜的护养。除了多多选择保湿型的DIY面膜材料之外，最好还要选择一些含有滋润成分的材料，并注意在面膜做完之后不忘涂抹锁水霜。

油性肤质首先要完成彻底清洁，然后才能进行保湿。在进行面膜DIY过程中，还可以添加一些控油的材料。做完保湿面膜之后，锁水的乳霜不要涂抹得过于厚重。

混合性肤质则要注重脸部的干燥部位，涂抹保湿面膜时尤其要注重脸颊，而选择的DIY面膜材料应该比较清爽，才不会给肌肤造成负担。

敏感性肌肤进行保湿，要避免酒精成分，如果肌肤对许多果蔬都有过敏症状，不妨尝试最为简单的清水面膜，即用矿泉水和纸面膜进行外敷。

■ NATURAL MASK

2 保湿补水面膜常用材料大公开

○番茄

番茄含有丰富的维生素C和胡萝卜素，能有效滋润肌肤，改善肌肤干燥现象，经常使用能使肌肤红润、柔嫩、细滑。

○香蕉

香蕉含有丰富的钾和维生素A、维生素C，用作面膜时具有极好的滋润作用，尤其对于受到冷风、尘埃影响而变得干燥无光泽的肌肤，香蕉能为其补充水分，防止皱纹的生成。

○黄瓜

黄瓜具有滋养、补水、镇静的作用，能安抚晒后的肌肤，是极佳的保湿材料。但需要注意的是，由于黄瓜含有光敏感物质，因此使用后要避免日晒。

○丝瓜

丝瓜水含有植物黏液、维生素及矿物质等，可维持角质层正常含水量，减慢脱水与延长水合作用，能补充肌肤必要的水分，保持肌肤水嫩、细腻。

○牛奶

牛奶含有丰富的乳脂肪、多种维生素与矿物质，能很好地保湿和滋润肌肤，还具有紧实肌肤的作用。

○橄榄油

橄榄油是用初熟或成熟的橄榄鲜果通过物理冷压榨工艺提取的天然果油汁，富含不饱和脂肪酸以及各种维生素，极易被皮肤吸收。好的橄榄油清爽自然，绝无油腻感，具有滋润锁水的功效，是一款很好的润肤材料。

3 保湿补水面膜使用注意事项

🍃 掌握最佳使用时间

保湿补水面膜有两个最佳使用时间。第一个是在下午3∶00~4∶00，此时人们的精神比较疲惫，新陈代谢缓慢，肌肤状态也会变得晦黯干燥、缺乏水分，还可能会出现干纹，对于水分的需求非常大，正是使用保湿面膜的好机会；第二个则是在晚上，此时正是肌肤吸收营养的最佳时间。

🍃 敷面膜前保持脸部湿润

不要因为敷的是保湿面膜，就放心地将一张干燥的脸蛋交给面膜，实际上，敷面膜前就应该让脸部保持湿润。洁面后不要等到肌肤干燥了再敷面膜，而要在肌肤还保持湿润时，就立刻将面膜敷上，这样才能保证肌肤能最大量地吸收面膜中的水分和养分。此外，如果能在洁面后使用一些化妆水，效果会更好。

🍃 与酒精保持距离

在DIY保湿面膜时，不要使用酒精或含酒精的材料；在使用保湿面膜之前，也不要使用含有酒精的化妆水。因为酒精对于肌肤的刺激非常大，还可能快速挥发，带走肌肤中的水分。

🍃 在干燥前及时揭下

面膜一定要在干燥前及时揭下，保湿补水面膜尤其如此，否则可能不但无法达到期望中的保湿作用，还会适得其反。有时面膜可能会在面部干结，在揭面膜的时候，对于那些干结在脸上的地方，千万不要用手去抠，而要用水缓缓淋于面部，待面膜自己软化后，再用水洗干净。

Natural
Mask

✿MASK

补水保湿面膜
Moisturizing Mask

★适用肤质：任何肤质。

番茄杏仁面膜

■ **准备材料**：番茄1个、杏仁粉3小匙。

■ **轻松DIY**：1.番茄洗净，去蒂，去皮，捣成浆状。

2.在番茄浆中加入杏仁粉搅拌均匀即可。

使用方法 洁面后，将面膜均匀地涂在脸上，避开眼部、唇部肌肤，15分钟后用温水洗净。每周1～2次。

美丽功效 番茄含有丰富的维生素C，还含有丰富的果酸，能有效去除面部角质，再配合具有美白滋润功效的杏仁粉，能让肌肤时刻保持充足的水分。

〔美人物语〕

*每日喝一杯番茄汁或经常食用番茄，对滋润皮肤、防治雀斑非常有效。

苹果蛋黄面膜

■ **准备材料**：苹果1/4个、蛋黄1个、面粉适量。

■ **轻松DIY**：1.将苹果洗净，削皮，去核，去子，捣成泥状。2.加上蛋黄及面粉搅拌均匀即可。

使用方法 洁面后，用热毛巾敷脸，将面膜敷于脸上，10～15分钟后，用温水冲净即可。每周2～4次。

美丽功效 此款面膜的锁水保湿、滋润排毒的功效很强，可令肌肤恢复自然光泽。

★适用肤质：干性肤质、敏感性肤质。

★适用肤质：任何肤质。

[美人物语]

*红糖是公认的具有排毒滋润功效的天然美容养颜瑰宝。红糖中含有一种糖蜜的物质，具有较强的解毒作用，可以把黑色素从真皮层中导出，从而从源头上阻断黑色素的生成与堆积，达到自然美白的功效。

红糖蜂蜜保湿面膜

■ 准备材料：红糖、蜂蜜各1小匙，纯净水少许。

■ 轻松DIY：1.将蜂蜜及红糖放入干净的容器中。

2.将纯净水加入容器，搅拌至黏稠状即可。

（使用方法）洁面后，将调好的面膜均匀地敷在脸上，避开眼部、唇部皮肤，10~15分钟后取下，洗净。每周可用2~3次。

（美丽功效）红糖中含有多种矿物质，对肌肤有天然的滋润、保湿作用。红糖与蜂蜜合用，能为肌肤提供保湿因子，具有极好的补水、锁水功效，能够令肌肤更加水嫩、莹透。

★适用肤质：中性及敏感性肤质慎用。

番茄蜂蜜面膜

■ 准备材料：番茄1/2个、蜂蜜1大匙、面粉2大匙。

■ 轻松DIY：1.番茄洗净，去皮，用榨汁机或纱布取汁。2.加入蜂蜜搅拌均匀。3.然后放入面粉，用汤匙充分搅拌成糊状即可。

（使用方法）洁面后，用热毛巾敷脸，将面膜均匀地敷于面部，覆盖一层面膜纸，20分钟后用温水洗净即可。每周2~3次。

（美丽功效）此款面膜在清洁肌肤的同时，能有效滋润肌肤，令肌肤细嫩爽滑。

★适用肤质：任何肤质。

黄瓜蛋清补水面膜

■ 准备材料：黄瓜1/2根、鸡蛋1个、白醋2滴。

■ 轻松DIY：1.黄瓜洗净，去皮，放入榨汁机中榨汁，去渣取汁备用。2.用过滤勺分离蛋清与蛋黄，将蛋清与黄瓜汁搅拌均匀。3.最后滴入白醋，搅拌均匀即可。

（使用方法）洁面后，将面膜均匀地涂在脸上，避开眼部、唇部肌肤，10分钟后用清水洗净即可。每周1~2次。

（美丽功效）黄瓜具有极好的补水保湿作用，能够为干燥的肌肤补充水分和养分，而蛋清则具有收缩毛孔的作用，两者结合，能让肌肤水润嫩滑。

〔美人物语〕

*黄瓜的美容功效非常好，如果怕麻烦不愿意费事做面膜，可以直接将黄瓜洗净，切成薄片均匀地覆盖在脸上，闭目养神一会儿，大约15分钟，将黄瓜片去掉，用温水清洗干净，同样能收到滋润肌肤的效果。

黄瓜蛋黄面膜

■ 准备材料：新鲜黄瓜1根、熟鸡蛋1个。

■ 轻松DIY：1.将黄瓜洗净，切成小丁，用汤匙捣成泥状。2.鸡蛋取蛋黄，放入黄瓜泥中，搅拌均匀即可。

（使用方法）洁面后，用热毛巾敷脸，将面膜均匀地敷于面部，15分钟后用温水洗净。每周2~3次。

（美丽功效）鲜嫩多汁的黄瓜是补充水分、对抗皱纹的法宝，而蛋黄有滋润肌肤的作用，可补充肌肤的各种养分，使肌肤细腻有光泽，嫩白肌肤。

★适用肤质：中性及敏感性肤质。

香蕉牛奶燕麦蜜面膜

■ **准备材料：** 香蕉1根、鲜牛奶150毫升、燕麦片40克、葡萄干20克、蜂蜜适量。

■ **轻松DIY：** 1.将香蕉去皮，切成小块，同鲜牛奶、燕麦片、葡萄干等材料一同放入锅内，以小火煮熟。2.将上述煮好的材料，盛入容器中，压烂，加入蜂蜜调匀，调成糊状即可。

使用方法 每晚睡前进行洁面后，将此面膜敷在脸上，25分钟后用清水洗去。每周1~2次。

美丽功效 香蕉能滋润皮肤，鲜牛奶有收紧肌肤的功效。此款面膜不仅营养滋润皮肤，还可以防止肌肤老化。

〔美人物语〕

*香蕉所含的丰富蛋白质，在人体内分解为氨基酸，具有安抚神经的效果，睡前半小时吃一根有很好的安眠作用，睡眠好自然皮肤好。

★适用肤质：干性、混合性及敏感性肤质。

酸奶蜂蜜面膜

■ **准备材料：** 酸奶2大匙、蜂蜜1大匙、面粉适量。

■ **轻松DIY：** 1.将酸奶倒入碗中，加入蜂蜜，用汤匙搅拌均匀。

2.加入面粉，用汤匙搅拌均匀成糊状即可。

使用方法 洁面后，将面膜均匀地涂在脸上，敷上面膜纸，15~20分钟后用温水洗净。每周3~5次。

美丽功效 此款面膜含有丰富的维生素，可阻止人体内不饱和脂肪酸的氧化和分解，防止皮肤老化和干燥，滋养肌肤，兼具嫩白效果。

★适用肤质：干性、混合性及敏感性肤质。

★适用肤质：干性、混合性肤质。

〔美人物语〕

*胡萝卜中含有丰富的维生素、叶酸、钙质及膳食纤维等，可有效滋养肌肤。其中的膳食纤维和果胶，能促进胃肠蠕动，对渴望苗条的美眉而言，多喝胡萝卜汁可以抑制吃甜食或油腻食物的欲望。

胡萝卜酸奶面膜

■ 准备材料：新鲜胡萝卜1根、酸奶1小匙、蜂蜜1小匙。

■ 轻松DIY：1.将胡萝卜洗净，切块，榨汁备用。

2.在胡萝卜汁中加入蜂蜜和酸奶，调匀即可。

(使用方法) 洁面后，用热毛巾敷脸，将面膜均匀地敷在脸上，15～20分钟后，用温水洗净。每周2～4次。

(美丽功效) 此款面膜具有深层补水功效，能去除皱纹，使肌肤有弹性。面膜中含有丰富的胡萝卜素，可修复晒后的皮肤组织，同时更有深层补充水、减少细纹、去死皮的功效。

★适用肤质：任何肤质。

海藻牛奶面膜

■ 准备材料：海藻种子1小袋、牛奶3大匙。

■ 轻松DIY：1.取一袋海藻种子，倒入容器之中。

2.加牛奶调至软硬适中，展开直接敷面即可。

(使用方法) 洁面后，用热毛巾敷脸，将面膜均匀地敷于面部，15分钟后用温水洗净。每周1～2次。

(美丽功效) 此款面膜保水性超强，其中的海藻种子碰到液体会吸水涨大形成一层胶膜，将水分牢牢抓住，因此具有非常持久的补水效果。

胡萝卜白芨面膜

- ■ 准备材料：胡萝卜1/3根、橄榄油10滴、白芨15克。
- ■ 轻松DIY：**1.**白芨研成细末。**2.**胡萝卜洗净后去皮，放入搅拌机内打成泥。**3.**将白芨末、胡萝卜泥和橄榄油放入碗中搅拌均匀即可。
- (使用方法) 温水洁面后，取适量面膜均匀地涂在面部，约30分钟后用温水洗净。每周1～2次。
- (美丽功效) 胡萝卜富含的 β - 胡萝卜素是一种有效的抗氧化剂。橄榄油的黏性较强，有很好的附着力，可抑制皮肤水分蒸发，对肌肤有保湿作用。白芨具有消肿生肌的功效。此款面膜有红润肌肤、抗氧化、抗自由基的作用。

〔美人物语〕

*白芨可以治疗冬季手足皲裂。用白芨粉加水调匀，敷在裂口处即可。白芨还富含淀粉、葡萄糖、挥发油、黏液质等，外用涂擦，可消除痤疮痕迹，让肌肤光滑无痕。

★适用肤质：中性、干性肤质。

糯米饭面膜

- ■ 准备材料：糯米50克。
- ■ 轻松DIY：将糯米洗净，放入锅内，蒸熟，然后凉凉片刻。
- (使用方法) 洁面后，用热毛巾敷脸，将饭团在脸上轻轻搓揉，直到米饭把毛孔内的油脂、脏污都吸收出来为止，再用温水洗净。每周1～2次。
- (美丽功效) 此款面膜具有去除毛孔内油污的作用，对青春痘也非常有效。另外，也有较好的补水作用。

★适用肤质：任何肤质。

★适用肤质：中性、油性及混合性肤质。

〔美人物语〕

*杏仁油的主要成分为油酸与亚油酸，不仅营养丰富，还有良好的抗氧化性，抗衰效果极佳。杏仁还可以润肺清火，排毒养颜，是没有副作用的排毒食品，被誉为"能够吃的化妆品"。

杏仁蛋清面膜

■ 准备材料：杏仁粉2小匙、鸡蛋1个（取蛋清）、清水少量。

■ 轻松DIY：1.将杏仁粉加少许清水调匀。2.加入蛋清搅拌成糊状即可。

（使用方法）洁面后，用热毛巾敷脸，然后将面膜均匀地涂于脸上，30分钟后用温水洗净即可。每周2～3次。

（美丽功效）杏仁是自古就有的护肤佳品，有润泽肌肤、通利血络等功效，而蛋清则有收敛肌肤的作用，因此这款面膜具有滋润肌肤的功效，令肤色亮白。坚持一段时间，就会使肌肤细滑、有弹性。

★适用肤质：干性、中性肤质。

花生酱面膜

■ 准备材料：花生酱20克、清水适量。

■ 轻松DIY：将花生酱放入干净的容器中，根据花生酱的干湿情况适当加水调配到浓稠适度即可。

（使用方法）用温水洁面之后，将面膜直接涂抹在脸上，约25分钟后再用清水冲洗干净即可。每周1～2次。

（美丽功效）花生酱中含丰富的蛋白质、矿物质、B族维生素、维生素E，其中维生素E具有抗氧化作用，脂肪酸具有保湿作用。此款面膜可以令皮肤滋润光泽，并能够延缓肌肤衰老。

★适用肤质：任何肤质。

[美人物语]

*洗红酒浴能令全身肌肤细嫩光滑，但水温要控制好，一般在高于人体体温2℃~3℃。过高的话，会破坏红酒中的营养成分，维生素、果酸等很容易在高温下流失或变质。

红酒珍珠粉面膜

■ 准备材料：红酒3大匙、珍珠粉适量。

■ 轻松DIY：1.将红酒倒入容器中。2.加入适量珍珠粉搅拌均匀即可。

（使用方法）洁面后，用热毛巾敷脸，然后将面膜均匀地涂于脸上，15~20分钟后用温水洗净。每周2~3次。

（美丽功效）珍珠粉有抗辐射的功效，能使皮肤避免日晒的伤害。红酒中的酒石酸，能促进皮肤的新陈代谢。二者搭配，即刻拥有白皙娇嫩的肌肤。

丝瓜汁面膜

■ 准备材料：新鲜丝瓜1根、面粉2大匙。

■ 轻松DIY：1.将丝瓜洗净，切成小块，榨汁备用。2.然后在丝瓜汁中加入面粉，搅拌均匀即可。

（使用方法）洁面后，用热毛巾敷脸，将面膜均匀地涂于脸上，15~20分钟后，用温水洗净。每周2~3次。

（美丽功效）此款面膜能保湿补水，也有一定的消炎功效，能促进肌肤新陈代谢，柔和吸附老废角质，清除深层污垢，抑制黑色素细胞生成，从而具有美白肌肤的效果。

★适用肤质：敏感性肤质、油性肤质。

★适用肤质：中性、混合性及油性肤质。

〔美人物语〕

*西瓜所含的维生素A、B族维生素和维生素C，都是保持肌肤健康与润泽的必要养分，且有相当好的柔肤效果。西瓜的汁液中几乎包含了人体所需要的各种营养成分，是爱美女性的最理想食物，经常食用可帮助代谢体内垃圾。

西瓜蛋清面膜

- ■ 准备材料：新鲜西瓜30克、鸡蛋1个、面粉适量。
- ■ 轻松DIY：**1.**西瓜洗净，去皮、子，切成小块，捣成泥备用。**2.**将鸡蛋打破，取蛋清，加入面粉和西瓜泥中，搅匀成糊状即可。
- (使用方法) 洁面后，用热毛巾敷脸，将面膜均匀地涂于脸上，15～20分钟后，用温水洗净。每周2～4次。
- (美丽功效) 此款面膜含有大量水分和膳食纤维，补水效果极佳，可使皮肤清爽舒适，光滑有弹性，并有收细毛孔的作用。

★适用肤质：中性、干性及混合性肤质。

橄榄油蜂蜜面膜

- ■ 准备材料：橄榄油2滴、蜂蜜1大匙、面粉适量。
- ■ 轻松DIY：**1.**将橄榄油和蜂蜜调匀。**2.**在调匀的材料中加入面粉，搅拌均匀即可。
- (使用方法) 洁面后，用热毛巾敷脸，然后将面膜均匀地涂于面部，20分钟后用温水洗净即可。每周2～3次。
- (美丽功效) 橄榄油具有滋润肌肤的作用，加上同样具有较强润泽性的蜂蜜，很容易被肌肤所吸收，具有滋养保湿功效，能改善皮肤干燥、粗糙和无光泽等问题。

★适用肤质：任何肤质，尤其是
敏感性肤质。

〔美人物语〕

*随着年龄的增长，皮肤下层的胶质
失去弹性，皮肤会产生皱纹。银耳富
有天然植物性胶质，加上滋阴功效，
具有润肤作用。长期使用银耳，无论
内服还是外敷，都有去除脸部黄褐
斑、雀斑的功效。

银耳面膜

■ 准备材料：银耳80克、清水适量。

■ 轻松DIY：1.银耳洗净，放入锅中，加水小火煮2～3小时。

2.捞出汤中的银耳，将银耳汤放凉，放入冰箱中冷
藏即可。

(使用方法) 洁面后，用热毛巾敷脸，将银耳汤涂抹在脸上，敷
上面膜纸，大约15分钟后，用温水洗净即可。每周
1次。

(美丽功效) 银耳做成面膜可对抗皮肤干燥，让肌肤变得具有光泽
和弹性。此款面膜具有润肤美白的功效，还能抚平皱
纹，收缩毛孔，淡化色斑。

桃子葡萄面膜

■ 准备材料：新鲜桃子1/2个、葡萄4～6颗、面粉适
量、清水适量。

■ 轻松DIY：1.将桃子和葡萄用清水洗净，去核，
去皮，压榨取汁，去渣备用。2.加入面
粉混合均匀，调成糊状即可。

(使用方法) 洁面后，用热毛巾敷脸，然后将面膜
均匀地涂于面部，自然风干后用清水
洗净即可。每周1次。

(美丽功效) 此款面膜含有大量B族维生素和维生
素C，能够促进血液循环，使面部肤
色健康、红润，有助于保持肌肤光滑
与柔嫩。

★适用肤质：任何肤质。

★适用肤质：干性、敏感性肤质。

橙花润肤面膜

- ■ 准备材料：橙花精油2滴、鲜牛奶20毫升。
- ■ 轻松DIY：将牛奶倒入面膜碗里，加入橙花精油调匀即可。

（使用方法）洁面后，用热毛巾敷脸，将压缩面膜纸放入调好的面膜液里，待面膜纸吸足水分，取出打开敷于脸上。约20分钟后，揭下面膜纸，用手指轻轻按摩面部，最后用清水洗掉多余的液体。每周2~3次。

（美丽功效）橙花精油具有镇定神经的作用，对治疗失眠有效果。不仅如此，橙花精油还可以增强细胞活力，帮助细胞再生。

〔美人物语〕

*春季家中常备橙花精油，橙花的特殊气味还能抵抗小虫的滋扰，并起到净化空气的作用。

豆腐牛奶保湿面膜

- ■ 准备材料：南豆腐1/4块、牛奶适量、面粉1大匙。
- ■ 轻松DIY：1.豆腐冲洗干净，捣成泥状备用。2.将面粉、牛奶、豆腐依次放入碗中搅拌均匀成黏稠状即可。

（使用方法）洁面后，将调好的面膜均匀地敷在脸上，避开眼部、唇部皮肤，约15分钟后，用清水洗净即可。每周2~3次。

（美丽功效）此款面膜中豆腐与牛奶、面粉合用，能清洁毛孔，去除堵塞毛孔的老化角质，使营养与水分通过毛孔渗入肌肤，令肌肤润泽、光洁、有弹性。

★适用肤质：任何肤质。

★适用肤质：任何肤质。

玫瑰蓝莓润肤面膜

■ **准备材料**：蓝莓4～6颗，玫瑰精油、橙花精油各1滴，红糖5克。

■ **轻松DIY**：1.把蓝莓洗净，放入榨汁机中榨汁，盛入碗中备用。2.在蓝莓汁中加入玫瑰精油、橙花精油和红糖，搅拌至红糖溶化，各种材料混合均匀即可。

使用方法 洁面之后，取一张干净的压缩面膜纸，放入面膜液中，待充分吸收汁液后敷在脸上。约15分钟后取下，用手指轻轻按摩至汁液完全被皮肤吸收后，用清水洗净即可。每周1次。

美丽功效 本款面膜可补充水分，滋养皮肤，控制油脂平衡，达到洁肤润肤效果。

〔美人物语〕

*花青素可有效抑制破坏眼球细胞的酶，清除损害眼部血管的自由基，能保护眼睛、消除眼部疲劳，经常食用蓝莓可以起到明目的作用。

玫瑰橙花茉莉保湿面膜

■ **准备材料**：玫瑰精油、橙花精油、茉莉精油各2滴，橄榄油4小匙。

■ **轻松DIY**：1.将几种精油滴入玻璃杯中混合。2.加入橄榄油，轻轻摇动使其与其他精油充分混合即可。

使用方法 温水洁面后，将5～6滴混合油均匀涂抹在脸上，用指腹以打圈方式由下往上按摩约3～5分钟，也可用掌心轻轻按压或揉搓，大约20分钟后用清水清洗即可。每周1～2次。

美丽功效 促进血液循环，令肌肤充满活力有光泽。精油的芳香还能放松心情。

★适用肤质：干性、中性肤质。

洋甘菊玫瑰补水面膜

■ **准备材料**：洋甘菊精油6滴、玫瑰精油4滴、天竺葵精油2滴、橄榄油8毫升。

■ **轻松DIY**：将所有材料放入面膜碗中，慢慢调匀即可。

使用方法 温水洁面后，将面膜均匀地敷在脸上，约15分钟后用手轻轻按摩面部，随后用温水清洗干净。每周2~3次。

美丽功效 洋甘菊精油对干性、敏感性皮肤有很好的舒缓作用。玫瑰精油可以延缓干性、敏感性皮肤的衰老。天竺葵精油能有效平衡油脂腺分泌，还可调和洋甘菊精油强烈的气味。橄榄油能够营养滋润皮肤。本款面膜舒缓滋润，可改善皮肤的缺水及脱皮状况。

〔美人物语〕

＊用洋甘菊和玫瑰精油按照1：1的比例调配成的混合液，还可治疗昆虫咬伤。

★适用肤质：干性、敏感性肤质。

奶酪薰衣草保湿面膜

■ **准备材料**：奶酪适量、薰衣草精油2滴。

■ **轻松DIY**：在奶酪中滴入薰衣草精油，充分搅拌均匀即可。

使用方法 洁面后，将调制好的面膜均匀地涂抹在面部，约30分钟后用清水冲洗干净。每周1~2次。

美丽功效 薰衣草精油具有舒缓、镇静肌肤的作用。奶酪营养丰富，其中的乳酸还有很好的保湿作用，可使肌肤快速恢复滋润、光泽。薰衣草和奶酪配合，可以有效改善干性肌肤以及晒伤肌肤的粗糙感。

★适用肤质：干性肤质。

★适用肤质：中性、干性肤质。

〔美人物语〕

*红糖有"东方巧克力"的美称，因为未经精炼，保留了较多甘蔗的营养成分，也更加容易被人体消化吸收，能快速补充体力、增加活力，日常饮食中，注意适当补充，可以起到延缓肌肤衰老的作用。

红茶琼脂面膜

■准备材料：红糖4小匙、茶水200毫升、琼脂1/4小匙。

■轻松DIY：将茶水煮沸，加入琼脂及红糖，待其化开后搅拌均匀，待凉即可。

（使用方法）洁面后，将放凉的凝胶状面膜敷脸10分钟，再用化妆棉蘸化妆水将其擦净即可。每周1次。

（美丽功效）红糖中含有的多种维生素和抗氧化物质能抵抗自由基，维护细胞的正常功能和新陈代谢。红糖中含有的氨基酸、纤维素等物质，可以有效恢复肌肤的锁水能力，强化皮肤弹性。红糖与绿茶合用，能达到抗氧化和保湿滋润的功效。

★适用肤质：敏感肤质。

甘菊抗敏面膜

■准备材料：甘菊精油2滴、润肤品6～10克。

■轻松DIY：将润肤品放入面膜碗中，滴入甘菊精油，搅拌均匀即可。

（使用方法）温水洁面后，将面膜均匀地敷在脸上，约15分钟后用手轻轻按摩面部，一边按摩一边冲洗。每周2～3次。

（美丽功效）很多人都有着肌肤过于敏感的烦恼，而甘菊精油可以对肌肤起到一定的舒缓作用。长期使用本款面膜，可以有效地改善敏感和脆弱皮肤，让肌肤变得更加健康。

美白淡斑面膜，
神速变成"白雪公主"

1 美白淡斑，与色素的攻防战

美白淡斑类面膜属于保养类的面膜，主要通过提供美白淡斑的营养成分，从外部一直深入到皮肤深层，从而起到对肌肤的改善作用。而肌肤能否充分吸收这些营养，起到相应的作用，在很大程度上取决于美白淡斑面膜中有效成分的分子大小、浓度，以及面膜在肌肤上所停留的时间。

三类美白面膜功能各异

美白面膜一般有三类。

首先是针对肌肤变白的面膜，功能是淡化暗沉、提炼肤色，让肤色越来越白皙。

其次是淡斑面膜，主要是在美白的基础之上，对斑点进行淡化。但需要注意的是，使用美白面膜只能淡化已经形成的雀斑和黑斑，也可预防后续色斑的出现，但不可能让这些色斑真正消失。

最后一类是晒后修复面膜，主要用在户外肌肤晒伤之后，通过对肌肤的修复来养护肌肤，防止肌肤变黑或者出现晒斑、干燥、皱纹等情况。

不同肌肤美白面膜的选择

油性肌肤可以使用带有去角质作用的美白面膜，能让肌肤焕发光彩；

干性肌肤则要选择兼具美白与保湿双重作用的面膜，防止肌肤失水；

敏感性肌肤则要避开一些光敏性的面膜材料，比如柠檬。

需要注意的是，无论哪一类肌肤，都不要滥用美白面膜。因为许多美白面膜在DIY的过程中，都会加入一些熊果素等成分。这些成分虽然有助于肌肤白皙，但也可能对肌肤造成刺激，不宜频繁使用。一般来说，每周使用一两次即可。

Natural
Mask

■ NATURAL MASK

2 美白淡斑面膜常用材料大公开

○柠檬

柠檬含有丰富的维生素C，具有极佳的美白功效，还能促进身体的新陈代谢，帮助身体排除毒素，消除身体的疲劳感。但需要注意，柠檬具有光敏性，使用后要避免阳光照射，含有柠檬材料的面膜最好在晚间使用。

○苹果

苹果富含维生素C、果酸、果胶等成分，能够有效滋润和美白肌肤，对肌肤还有紧实作用，能增强肌肤的弹性。

○猕猴桃

猕猴桃中含有丰富的维生素C，能防止肌肤中的黑色素沉淀，软化角质，预防青春痘及肤色暗沉等肌肤问题。还能美白肌肤，延缓肌肤衰老。

○玫瑰

玫瑰含有多种养颜成分，能滋润、美白肌肤，防止皱纹产生，还能通过改善女性经期不适来改善肤质，活化肌肤。

○白芷

白芷自古就是常见的美容外用药，能够使肌肤红润有光泽，可去除黄褐斑，起到增白的作用，还能防止皮肤瘙痒。

○珍珠粉

珍珠粉含有多种氨基酸和微量元素，具有抑制脂褐素增多、增强肌肤活力、延缓肌肤衰老等功效，可以有效提升肤色，黑头、油光、痘痘等问题也可以得到改善。

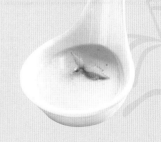

3 美白淡斑面膜使用注意事项

天生皮肤黑的美白面膜效果

有些人由于天生皮肤内的黑色素就比较多，从小拥有偏黑的肌肤，这样的肤质若使用美白面膜，可以在原基础肤色上变白一些，但不太可能起到根本的质的改变。天生皮肤黑的女性，要想让肌肤从根本上变白，还应该经过由内而外的调理，在饮食、按摩等方面下工夫。

用晒后修复面膜前先用冷水洗脸

晒后修复面膜也属于美白面膜。一般情况，都建议用温水洗脸，能够促使毛孔张开，但在使用晒后修复面膜之前，不能用温度过高的水，而应该用温凉水。因为水温如果过高，很可能让已经被阳光晒伤了的肌肤受到进一步的伤害，让毛细血管扩张充血，导致肌肤上出现片片潮红甚至长晒斑。

敷晒后修复面膜前的准备工作

夏季在户外，肌肤很容易晒伤，回家后需要使用晒后修复面膜，但不要急着立即敷上，还应该先做好急救。如果肌肤只是轻微晒伤，冷水洗脸后用软毛巾将水分按干，用冰镇的化妆水或保湿喷雾舒缓红热肌肤，迅速为肌肤补充水分，让发热发烫的肌肤迅速恢复正常功能，然后再使用修复面膜。

重度晒伤要谨慎对待

如果肌肤晒伤比较严重，则不要轻易使用刺激性过大的修复面膜。可以在清洁后使用最简单的清水面膜，即用纸面膜浸泡清水，敷在脸上，减轻肌肤的炎症，修护皮脂膜。如果24小时内肌肤一直感觉疼痛，则建议尽快向皮肤科医生求救。

★适用肤质：任何肤质。

❀MASK

美白淡斑面膜
Whitening Mask

柠檬燕麦蛋清面膜

■ 准备材料：柠檬1/4个，鸡蛋1个（只取蛋清），燕麦粉、蜂蜜各适量。

■ 轻松DIY：蛋清、蜂蜜、燕麦粉放入一个干净容器中，将柠檬汁挤入，搅拌均匀即可。根据实际情况，也可以适当添加清水调节浓稠度。

用温水洁面后，将面膜均匀地涂在脸上，避开口、眼、鼻，约20分钟后用清水洗净。每周1次。

柠檬含有较多的维生素C，具有很好的抗氧化作用。柠檬与燕麦合用，抗氧化作用进一步增强。蛋清除了含有黏蛋白外，还含有醋酸，醋酸可以保护皮肤的微酸性，防止细菌感染。此款面膜可消除脸部细纹，使脸部光洁细嫩，同时有抗菌消炎的作用。

柠檬酸奶面膜

■ 准备材料：柠檬1/2个，酸奶、蜂蜜各2大匙。

■ 轻松DIY：1.柠檬洗净，放入榨汁机中榨汁。2.将柠檬汁、酸奶、蜂蜜放入容器中搅拌成糊状即可。

洁面后，将面膜均匀地涂在脸上，静置15～20分钟后用清水洗净即可。每周1～2次。

此款面膜能够充分渗透、滋养肌肤，使皮肤处于喝足水的状态，促进肌肤细胞的再生，从而达到美白肤质的效果。

★适用肤质：任何肤质。

★适用肤质：任何肤质。

[美人物语]

*每个年过30岁的女人都应爱石榴，石榴含大量植物雌激素，能把黄褐斑扼杀在摇篮里，将皮肤细纹一条一条变浅。石榴还具有驱虫作用，对皮肤护理有很大帮助，能把毛孔中的寄生虫统统消灭。

石榴水面膜

- 准备材料：石榴150克、化妆水适量。
- 轻松DIY：1.石榴洗净，去皮，用榨汁机榨汁。
  2.将石榴汁加化妆水稀释即可。

使用方法 洁面后，用热毛巾敷脸，再将面膜均匀地敷在脸上，15～20分钟后用温水洗净。每周2～3次。

美丽功效 石榴被称为"美容圣品"，富含矿物质，并具有抗氧化成分，能迅速补充肌肤所失水分，令肌肤更为柔润。此款面膜含有优质的抗氧化剂，不仅可以帮助肌肤抵御自由基的侵害，还可以阻止黑斑的形成。

★适用肤质：任何肤质。

大米薏仁面膜

- 准备材料：米粉20克、薏仁粉15克、柠檬汁2滴。
- 轻松DIY：1.米粉和薏仁粉混合，加水调成糊状。2.加入柠檬汁调匀。

使用方法 洁面后，用热毛巾敷脸，再将面膜均匀地敷在脸上，15～20分钟后用温水洗净。每周2～3次。

美丽功效 此款面膜中含有水溶性蛋白，水解后，形成能够被肌肤直接吸收的微小分子，帮助皮肤吸收更多的水分，修复受损肌肤，让皮肤亮起来，增加肌肤的活力和弹性。

★适用肤质：任何肤质。

〔美人物语〕

*酵母菌是一些单细胞真菌，对急于进行肌肤保养的人来说，酵母最具价值的是其中含有的一种叫对氨基苯丙酸的物质，它能够提高皮肤的抗晒能力，增加皮肤弹性。

豆腐酵母面膜

- 准备材料：北豆腐30克、酵母5克。
- 轻松DIY：1.将北豆腐冲洗干净，捏碎。2.加入酵母调匀即可。
- 使用方法：洁面后，用热毛巾敷脸，再将面膜均匀地敷在脸上，15～20分钟后用温水洗净。每周2～3次即可。
- 美丽功效：此款面膜中含有丰富的大豆异黄酮，它是一种类似于雌激素的物质，能够延缓皮肤衰老。此外，面膜中还含有卵磷脂，这种物质能够起到抗氧化的作用，可以阻止皮肤变黑，如果能坚持使用，就能使皮肤变得白白嫩嫩。

番茄奶粉面膜

- 准备材料：番茄1个、奶粉适量。
- 轻松DIY：1.番茄洗净，去蒂，去皮，弄碎。2.调入奶粉拌匀即可。
- 使用方法：洁面后，用热毛巾敷脸，再将面膜均匀地敷在脸上，15～20分钟后用温水洗净。每周2～3次。
- 美丽功效：此款面膜中含有番茄红素，它是一种超强的抗氧化物，具有很好的美白功效，还能防止晒黑，对抗自由基，修复紫外线造成的伤害。

★适用肤质：任何肤质。

★适用肤质：任何肤质。

〔美人物语〕

*酸奶含糖量较低，保存了牛奶中的所有营养成分，且容易被肌肤吸收利用，属于纯天然营养护肤品，具有高效的美容功效。

木瓜酸奶面膜

- ■准备材料：木瓜50克、酸奶50毫升。
- ■轻松DIY：1.木瓜洗净，去皮，去子，放入榨汁机中榨汁。2.将酸奶加入木瓜汁中拌匀即可。

■使用方法 洁面后，用热毛巾敷脸，再将面膜均匀地敷在脸上，15～20分钟后用温水洗净。每周2～3次。

■美丽功效 此款面膜既含有乳酸菌，又含有蛋白酶，有保湿功效，还能去角质，使肌肤迅速恢复光泽、嫩滑，更能阻止酪氨酸酶被激活，从而抑制黑色素细胞生成，并能补充肌肤所需的大量水分及养分，让肌肤显得亮白剔透。

★适用肤质：敏感性肤质禁用。

木瓜柠檬面膜

- ■准备材料：木瓜1块、柠檬汁1/2大匙。
- ■轻松DIY：1.将木瓜洗净，去皮，去子，切块，捣成泥状。2.将柠檬汁稀释1倍，慢慢加入木瓜泥中，搅拌均匀成糊状即可。

■使用方法 洁面后，用热毛巾敷脸，将面膜均匀地涂在面部，静待20分钟，用清水洗净。每周1～2次。

■美丽功效 此款面膜具有去除角质、抵抗衰老的功效。长期坚持，可令肤色红润净白、有光泽，其中的木瓜蛋白酶能促进老皮脱落和新皮肤的生长，与蛋白质配合，可阻断黑色素的形成。

★适用肤质：任何肤质。

〔美人物语〕

*在干燥多风的季节，做珍珠粉面膜一定要辅以滋养性强的原料，如蜂蜜、芦荟、牛奶等，用以舒缓皮肤紧绷、干裂的感觉。

珍珠芦荟面膜

■ 准备材料：珍珠粉适量、芦荟1小根。

■ 轻松DIY：1.芦荟洗净，去皮，去刺，放入榨汁机中榨汁，滤渣取汁备用。2.将珍珠粉放入芦荟汁中搅成糊状即可。

洁面后，用热毛巾敷脸，再将面膜均匀地敷在脸上，15～20分钟后用温水洗净。每周2～3次。

美丽功效 芦荟中含有许多能抑制体内脂质过氧化的脂氧化酶类化合物，可以改善皮肤的血流供应和微循环，激发上皮细胞新陈代谢的活力，使肌肤紧致、有弹性。珍珠粉中含的氨基酸能最大限度地捕捉自由基，修复肌肤受损细胞，使肌肤光滑白皙。

★适用肤质：油性肤质及青春痘肤质。

芦荟黄瓜鸡蛋面膜

■ 准备材料：芦荟叶1片、小黄瓜1根、鸡蛋1个、面粉2大匙。

■ 轻松DIY：1.将芦荟叶洗净，去刺，去皮，用纱布或榨汁机榨汁备用。2.将黄瓜洗净，切成小块，榨汁备用。3.鸡蛋打散搅匀，同芦荟汁、黄瓜汁、面粉混合，拌匀即可。

洁面后，用热毛巾敷脸，再将面膜均匀地涂在脸上，20分钟后用温水洗净即可。每周3～4次。

美丽功效 此款面膜能美白保湿，清凉杀菌，并能有效滋养皮肤、抑制色素沉淀。

★适用肤质：任何肤质。

〔美人物语〕

*将芦荟胶与水按照1：3的比例稀释后，均匀涂抹在脸上，或者只涂抹有斑点的部位，并充分按摩，1日3次，白天涂得薄一些，晚上可以涂厚一些。这样只要坚持使用3个月，色斑就会逐渐从你的脸上消失。

芦荟晒后修复面膜

■准备材料：芦荟胶、甘菊花、维生素E油、纯净水、薄荷精油各适量。

■轻松DIY：1.将芦荟胶与干燥的甘菊花以3：1的比例配比，再加适量纯净水，以小火加热至甘菊花成散状（注意水不要烧沸），熄火冷却，滤取溶液，倒入面膜碗中备用。2.取1汤匙维生素E油与3滴薄荷精油混合调匀，倒入面膜碗中，进一步搅拌均匀，放入冰箱冷藏保存即可。

■使用方法：洁面后，取适量面膜敷在脸上，约10分钟后，以清水彻底洗净。每周1次。

■美丽功效：本款面膜对修复晒后受损的肌肤具有很好的护理作用。

★适用肤质：任何肤质。

芦荟保湿美白面膜

■准备材料：芦荟叶1片、鸡蛋1/2个（取蛋清）、白芨粉1大匙。

■轻松DIY：1.将芦荟洗净，去皮，榨汁。2.将芦荟汁、蛋清、白芨粉一同搅拌至均匀即可。

■使用方法：洁面后，将面膜敷在脸上，避开眼睛、唇部肌肤，约15～20分钟后洗净即可。每周使用1～2次。

■美丽功效：此款面膜具有良好的美白、保湿等功效，还能增加肌肤弹性。

★适用肤质：任何肤质。

〔美人物语〕

*用薰衣草纯精油还可治疗痘痘。拿棉签蘸取薰衣草纯精油，直接涂在痘痘和痘疤的地方。10毫升基础油配5滴薰衣草精油的混合油可当擦脸油或者按摩油用，基础油可选用荷荷巴油、葡萄子油等。

珍珠粉薰衣草美白面膜

- ■准备材料：珍珠粉1大匙、蜂蜜1小匙、薰衣草精油3滴。
- ■轻松DIY：珍珠粉、蜂蜜、薰衣草精油调匀，根据情况慢慢加入少许水，感觉正好敷脸又不会因太稀挂不住即可。
- 使用方法　用温水洁面后，将面膜均匀地敷在脸上，30分钟后再用清水洗净。每周2～3次。
- 美丽功效　珍珠粉具有很好的美白作用，使肌肤变得柔嫩白皙。加上薰衣草精油，长期使用本款面膜，可以达到美白、润肤、舒缓精神的功效。

珍珠粉修复美白面膜

- ■准备材料：珍珠粉2大匙、玉米粉1小匙、面粉2小匙、甘菊精油3滴、天竺葵精油2滴、纯净水少许。
- ■轻松DIY：把所有材料一同倒在面膜碗中，充分搅拌均匀，达到稀薄适中、易于敷用的糊状即可。
- 使用方法　洁面后，将调制好的面膜均匀地涂抹在面部，约15分钟后用清水冲洗干净，并进行肌肤的晒后修复护理。每周2～3次。
- 美丽功效　本款面膜具有有效舒缓、镇静、美白、提亮肤色的作用。

★适用肤质：任何肤质。

猕猴桃蜂蜜面膜

■ 准备材料：猕猴桃1个、蜂蜜1大匙。

■ 轻松DIY：1.将猕猴桃在清水中洗净，去皮，沥干水分，捣烂备用。2.将蜂蜜放入猕猴桃泥中，搅拌均匀即可。

使用方法 每次洁面后，用热毛巾敷脸，将面膜均匀地涂在面部，15分钟后用温水洗净。每周2~3次。

美丽功效 蜂蜜有较强的润泽性，其活性物质有利于被皮肤细胞所吸收，能有效改善皮肤营养状态，并有效消除面部斑点。此款面膜能够改善皮肤干燥和暗淡，使肌肤白皙、红润、有光泽。

〔美人物语〕

*猕猴桃含极为丰富的维生素C，是皮肤美白所必需的营养成分，可以抑制黑色素，防止雀斑的形成。猕猴桃中含有丰富的维生素E，能保持肌肤弹性，帮助抵抗紫外线和污染物，使肌肤活力十足。

★适用肤质：除敏感肤质外的任何肤质。

梨子柠檬亮白面膜

■ 准备材料：梨、柠檬各1个。

■ 轻松DIY：1.将梨洗净，去皮，去核，用厨房纸巾将梨水分擦干，捣烂；柠檬洗净，挤出柠檬汁备用。2.将柠檬汁放入梨肉泥中，拌匀即可。

使用方法 洁面后，用热毛巾敷脸，将面膜均匀地涂在面部，15分钟后用温水洗净。每周2~3次。

美丽功效 此款面膜具有改善皮肤干燥的作用，使肌肤柔美、红润、有光泽。

★适用肤质：干性、中性肤质。

★适用肤质：中性、油性及混合性肤质。

〔美人物语〕

*苦瓜性凉，可消肿止痱，杀菌止痒，用苦瓜汁擦拭皮肤，可治疗湿疹、痤疮感染、烫伤、虫咬等。苦瓜中的苦瓜苷，有利于皮肤的新生和伤口愈合，能增强皮肤细胞的活力，有助于延缓皮肤衰老，使容颜更加细腻。

苦瓜面膜

- ■ 准备材料：苦瓜1根。
- ■ 轻松DIY：1.将苦瓜洗净，放入冰箱冷冻20分钟。2.将苦瓜取出，剖开，去除内瓤，切成小块，用榨汁机榨取成泥状即可。

轻松方法 洁面后，用热毛巾敷脸，将面膜均匀涂在面部，20分钟后用温水轻柔洗净。每周2～3次。

美丽功效 苦瓜的营养成分具有消炎杀菌、保湿美白的功效。如果长期使用，能够起到去斑、除皱的功效，还能为肌肤补充所需的水分，从而达到淡化色斑的目的，令肌肤变得更加净白和细致。

★适用肤质：中性、油性及混合性肤质。

冰葡萄面膜

- ■ 准备材料：葡萄4～6颗。
- ■ 轻松DIY：1.将葡萄洗净，置入冰箱内，冰镇30分钟。2.将葡萄取出，去子留皮，捣碎成浆状即可。

轻松方法 洁面后，先用热毛巾敷脸，将果浆均匀地涂在面部，避开眼部和唇部，10～15分钟后用温水洗净即可。每周1～2次。

美丽功效 此款面膜可较温和地去除角质，令肌肤更加柔滑亮白。

牛奶酵母美白面膜

- ■ 准备材料：牛奶4大匙、酵母粉1小匙。
- ■ 轻松DIY：将牛奶加热，加入酵母粉，充分搅拌均匀即可。
- **使用方法** 洁面后，将面膜均匀地涂在脸上，避开眼睛、唇部肌肤，约20分钟后用温水洗净。每周2次。
- **美丽功效** 牛奶是美白DIY护肤品中经常用到的材料，它可以使肌肤变得光泽、白皙，还有保湿的作用；而酵母同样常被用来护肤，能够使肌肤细嫩、光滑。二者搭配使用，让此款面膜具有滋润皮肤、美白的神奇功效，还能让肌肤焕发光彩。

〔美人物语〕
*维生素C抑制黑色素合成的效果非常好，并能被机体充分吸收，达到美白的效果。而酵母具有抑制黑色素合成的功效，在肌肤科常用作黑斑的治疗。

★适用肤质：任何肤质。

★适用肤质：任何肤质。

豆苗牛奶面膜

- ■ 准备材料：豌豆苗30克、牛奶3小匙。
- ■ 轻松DIY：**1.**豌豆苗洗净，磨成细泥状。**2.**在豌豆苗泥中慢慢加入牛奶，调至黏稠不易滴落的程度即可。
- **使用方法** 洁面后，将调好的面膜均匀地敷在脸上，避开眼部、唇部肌肤，约15分钟，用清水洗脸即可。每周1～2次。
- **美丽功效** 此款面膜有很好的镇定、消炎及美白作用，能够有效修复晒后的肌肤，防止紫外线对肌肤造成伤害。

★适用肤质：油性及痘痘肤质。

〔美人物语〕

*珍珠含有20多种氨基酸和多种微量元素。氨基酸能促进表皮组织各种细胞的增殖、生长、分裂，促进细胞吸收营养。珍珠粉中的铜和锌能通过激发SOD的活性，达到清除自由基的作用，从而淡化色斑，对抗衰老。

珍珠豆粉面膜

■准备材料：黄豆粉、绿豆粉、珍珠粉各1/2大匙，蒸馏水适量。

■轻松DIY：1.将黄豆粉、绿豆粉和珍珠粉放入面膜碗中，混合均匀。2.加入蒸馏水，慢慢充分搅拌均匀至糊状即可。

使用方法 洁面后，将调好的面膜均匀地涂在脸上，避开眼部、唇部皮肤，约15分钟，用清水洗净即可。每周1～2次。

美肤功效 珍珠不仅具有美白淡斑的作用，对于肌肤还有清热的效果，与豆粉一同作用，令此款面膜的效果加倍，不仅可以清热去痘、美白淡斑、滋润保湿，还能够去除脸部肌肤的角质，改善暗沉的肤质。

★适用肤质：任何肤质。

粉蜜美白面膜

■准备材料：杏仁粉9克，白芷粉3克，冰片粉少许，面粉1大匙，蜂蜜、温水各适量。

■轻松DIY：1.将杏仁粉、白芷粉、冰片粉过筛，筛去细粉。2.将筛去的细粉与面粉调匀，保存在密封罐中。3.使用前，先将蜂蜜加少许温水调至黏稠状，然后再取出罐中细粉与蜂蜜水调匀。

使用方法 洁面后，将此款面膜涂于脸上，避开眼部、唇部肌肤，10～15分钟后，用温水彻底洗净即可。每周1～2次。

美丽功效 此款面膜能有效收紧肌肤，防止皱纹的产生，使肌肤紧致、美白。

★适用肤质：任何肤质。

〔美人物语〕

*蛋黄中含有卵磷脂，卵磷脂是肤色暗沉和青春痘的克星，能把脂类物质和水结合在一起，然后把它们分解成小颗粒，从而清除容易造成堵塞的毒素。卵磷脂还能让肌肤得到更多的氧和水，是天然的肌肤守卫者。

黄瓜白芷美白面膜

■准备材料：白芷5克，橄榄油、蜂蜜各1小匙，鸡蛋1个（取蛋黄），黄瓜1小段。

■轻松DIY：1.将白芷放入研钵中研末成粉。2.黄瓜切小段，放入搅拌机中搅打成泥状。3.将蛋黄、蜂蜜、白芷粉、橄榄油与黄瓜泥一同搅拌均匀即可。

（使用方法）用温水洁面后，将调好的面膜均匀地敷在脸上，避开眼部、唇部皮肤，10～15分钟后，用温水洗净。每周可用1～2次。

（美丽功效）此款面膜能为肌肤补充水分，并在肌肤表面形成保护膜，防止水分流失，滋润干燥的肌肤，预防肌肤出现皱纹，也可淡化色斑，提亮肤色，令肌肤白里透红。

★适用肤质：任何肤质。

白芷蜂蜜美白面膜

■准备材料：白芷粉30克、燕麦粉15克、蜂蜜15毫升、纯净水适量。

■轻松DIY：1.在白芷粉中加入适量常温纯净水，调成糊状。2.将蜂蜜、燕麦粉加入白芷糊中，充分搅拌均匀即可。

（使用方法）洁面后，将调好的面膜均匀地涂在脸上，避开眼部、唇部皮肤，约15分钟，用清水洗净即可。每周1～2次。

（美丽功效）此款面膜可以清热去痘、美白淡斑、滋润保湿，还能去除角质，改善暗沉肤质。

★适用肤质：干性肤质。

精油燕麦面膜

- ■准备材料：橙花精油、玫瑰精油各5滴，甘油8毫升，燕麦25克。
- ■轻松DIY：1.将燕麦研磨成粉末。2.将所有材料放入干净容器中充分混合，加适量水搅拌成糊状即可。

用温水洁面后，将调好的面膜均匀地涂在脸上，约15分钟后用清水洗净即可。每周2～3次。

玫瑰精油能抑制皱纹产生，是极佳的抗老化美容品。橙花精油独特的气味，可以消除神经紧张、缓解烦躁情绪。燕麦具有抗氧化作用。长期使用本款面膜可以深层滋养肌肤，舒缓肌肤压力，让肌肤白皙、充满弹性。

酸奶麦片面膜

- ■准备材料：酸奶30克、燕麦片10克。
- ■轻松DIY：将酸奶加入燕麦片中调匀。

洁面后，将面膜均匀地敷在脸上，约20分钟后用温水洗净。

酸奶中含有乳酸菌，这种物质可以分解油脂。而酸奶和燕麦片中的维生素E等活性物质，又具有很好的抗氧化作用，对皮肤也有去斑增白的作用。长期使用此款面膜，可以达到去斑增白的目的，还能够延缓肌肤的衰老过程。

★适用肤质：油性肤质。

★适用肤质：干性、混合性及敏感性肤质。

香蕉橄榄油面膜

- ■ 准备材料：香蕉1个、橄榄油1/2大匙。
- ■ 轻松DIY：将香蕉去皮，放入容器中捣成糊状，加橄榄油搅拌均匀即可。

使用方法 洁面后，将面膜均匀地敷在脸上，约20分钟后用温水洗净。每周1次。

美丽功效 新鲜香蕉含有丰富的抗氧化成分，对于肌肤的活性氧自由基有很好的清除作用，具有滋润肌肤、延缓衰老的作用。而橄榄油是众所周知的润肤圣品，非常易于吸收。香蕉与橄榄油合用，有养颜除皱、抗氧化的功效，对于脸部的暗沉问题有着很好地预防效果。

〔美人物语〕

*香蕉可增强人体血浆抗氧化能力，所以经常食用能够预防心血管疾病和延缓衰老。香蕉所含维生素B₁、维生素E对促进肝脏对酒精的解毒功能有特殊功效，因此香蕉还有一定的解酒功能。

玫瑰檀香面膜

- ■ 准备材料：玫瑰精油、薰衣草精油、檀香精油、天竺葵精油各1滴，鲜牛奶80毫升。
- ■ 轻松DIY：1.将鲜牛奶倒入面膜碗中，滴入各类精油搅拌均匀。2.取一粒面膜纸放入，面膜纸自然膨胀，吸足面膜备用。

使用方法 用温水洁面后，将吸足面膜的面膜纸敷在脸上，约25分钟后，揭下面膜纸，再用清水一边按摩一边洗净。每周2~3次。

美丽功效 本款面膜具有很好的镇静、滋润美白功效。

★适用肤质：中性肤质。

红石榴牛奶面膜

- ■ **准备材料：** 鲜红石榴子100克、牛奶适量。
- ■ **轻松DIY：** 1.将鲜红石榴子放入榨汁机中榨汁，倒入干净容器中备用。2.将牛奶调入石榴汁中，调匀即可。
- **使用方法** 洁面后，将调好的面膜均匀地敷在脸上，约20分钟后用清水洗净即可。每周1次。
- **美丽功效** 红石榴子汁液中含有大量具有抗氧化作用的物质，能够有效清除自由基，滋养细胞，减缓细胞衰老。牛奶富含维生素，可以促进皮肤的新陈代谢，防止皮肤干燥及暗沉，使皮肤白皙、有光泽。此款面膜不仅抗氧化、活化细胞、令肌肤嫩白有光泽，对黑眼圈也有一定的防治作用。

★ 适用肤质：任何肤质。

〔美人物语〕
*科学研究发现，凡是红色或紫黑色的水果、蔬菜均含有大量的天然抗氧化物质。所以，经常食用这类深色水果或蔬菜能增加抗氧化物质的摄入量，有效防止自由基在体内引起的细胞损伤。

红薯苹果芳香修复面膜

- ■ **准备材料：** 红薯、苹果、蜂蜜各适量，玫瑰精油2滴。
- ■ **轻松DIY：** 1.把红薯、苹果洗净切块，放入搅拌机打成果泥。2.将蜂蜜、玫瑰精油加入果泥，充分搅拌成糊状。
- **使用方法** 温水洁面后用热毛巾敷脸3分钟，取适量面膜均匀地涂抹在脸上，15分钟后用清水洗净。每周1～2次。
- **美丽功效** 红薯含有多种活性成分；苹果富含水分及多种矿物质营养成分；玫瑰精油可促进黑色素分解，淡化色斑，改善干燥肌肤，恢复皮肤弹性。本款面膜具有极佳的镇静修复、美白补水功效。

★ 适用肤质：敏感性肤质。

柚粉面膜

- ■ 准备材料：葡萄柚1/4个、面粉50克。
- ■ 轻松DIY：1.将葡萄柚洗净，去皮，放入搅拌机中打成果泥，盛入干净的容器中备用。2.在果泥中加入面粉和适量的水搅拌均匀即可。

- 使用方法 温水洁面后，将面膜均匀地涂在脸上，避开口、眼、眉毛，约30分钟后用清水将面膜洗去。每周1~2次。

- 美丽功效 葡萄柚含有丰富的维生素C，有抗氧化、美白、预防雀斑、消除皱纹的作用。葡萄柚含有维生素P，具有修复受损组织的功能。此款面膜能消除脂肪，收缩毛孔，让肤色亮白有光泽。

〔美人物语〕
*葡萄柚是集预防疾病及保健与美容于一身的水果，睡前喝一杯葡萄柚汁可帮助睡眠，早晨喝一杯葡萄柚汁可预防便秘。

★适用肤质：除敏感性肤质外的任何肤质。

菜花粥面膜

- ■ 准备材料：菜花100克、大米50克。
- ■ 轻松DIY：1.将菜花洗净，掰成小朵。2.将大米淘洗干净，入锅煮粥，待粥将煮熟时放入菜花，继续煮至粥熟即可。3.待粥放凉后，盛入搅拌机中，把菜花粥搅打成泥即可。

- 使用方法 睡前温水洁面，将面膜均匀地敷在脸上，约20分钟后用冷水洗净。每周2~3次。

- 美丽功效 菜花含有较多的抗氧化成分，大米对暗沉肌肤有亮白的功效。两者合用，能养颜、保湿、美白、抗氧化。

★适用肤质：任何肤质。

控油祛痘面膜，
让肌肤畅快呼吸

1 控油祛痘面膜，实现清爽无瑕美肌

控油是许多人头疼的难题。除了干性肌肤不易出油之外，大多数肤质或多或少会有出油烦恼。如果出油现象得不到解决，油脂混合着灰尘，堵塞了毛孔，就容易引起肌肤发炎、痘痘滋生。可见控油祛痘面膜，在我们的生活中必不可少。

不同情况使用控油祛痘面膜

第一种是单纯的油性肌肤，也就是肌肤没有其他问题，只是经常油光满面。这种情况可以有规律地使用控油面膜。此外，这种肌肤通常也会由于毛孔阻塞以及油脂分泌过剩而出现毛孔粗大的问题，也可以同时使用紧致毛孔的面膜。

第二种情况是缺水性的油性肌肤，也就是肌肤本身非常缺水，从而导致了油脂的分泌，形成"外油内干"的局面。这种情况，需要补水和控油双管齐下，才能从根本上改善症状。

第三种是有少数痘痘的油性肌肤。由于油脂过多而产生了少量痘痘，此时可以使用针对痘痘的DIY面膜材料。

第四种则是有较多痘痘的油性肌肤，这种情况说明痘痘症状比较严重，需要先进行相应的治疗，进行内调外养，等肌肤炎症不再严重时，再进行面膜的护养。

痘痘&痘印，面膜需求大不同

在DIY祛痘面膜的过程中，需要对痘痘和痘印区别对待。如果痘痘还处于肆虐的阶段，则应该使用专门的祛痘面膜，而不要使用其他保养型如美白、抗衰老面膜，否则可能对痘痘造成刺激；而如果痘痘已经基本痊愈，正处于恢复期，但脸上留下了恼人的痘印，则可以在面膜制作时加入一些美白材料，对痘印起到淡化的作用。

■ NATURAL MASK

2 控油祛痘面膜常用材料大公开

○金银花

金银花又被称作忍冬，自古就被誉为清热解毒的良药。它性甘寒，气芳香，芳香透达又可祛邪，能宣散风热，还善清解血毒、去除脓肿，对于有痘痘的肌肤来说是一剂良药。

○绿茶

绿茶富含维生素C，具有美肤去粉刺的功效，还能收缩肌肤，有助于养颜润肤，并起到美白的作用。一般绿茶面膜都使用绿茶粉进行DIY，使用更加方便。

○芦荟

芦荟具有使皮肤收敛、柔软化、保湿、消炎、漂白的性能，还有去角质、淡斑的作用，不仅能防止小皱纹、眼袋、皮肤松弛，还能保持皮肤湿润、娇嫩。

○柑橘

柑橘可以镇定肌肤，起到消炎和补水的作用。但需要注意的是，柑橘也具有光敏性，使用后要注意避开阳光。

○冬瓜

冬瓜是古人常用的美容材料，能够利水消肿，还具有祛热的功能，对于因为热毒而出现的痘痘很有效。此外，冬瓜还可以增白肌肤，让皮肤变得润泽。

○薏米

薏米主要成分为蛋白质、维生素B$_1$、维生素B$_2$。有利水消肿、健脾去湿、舒筋除痹、清热排脓等功效，是常用的利水渗湿药，内服外用都能起到效果。

3 控油祛痘面膜使用注意事项

✎ 晚间控油更有效

很多人觉得自己的脸都在白天才会出油,所以只在白天使用控油面膜,而忽略了晚上的护理。但实际上,白天皮肤表面的油光都是皮脂腺在晚间分泌的,所以晚间应该进行针对性的护理。

✎ 不同区域厚薄不同

对于大多数人来说,脸部油脂分泌是不均匀的,尤其是混合性肌肤,一般T字部位、额头、下巴等位置比较容易出油,而脸颊则可能比较干燥。所以涂抹面膜时可以注意厚薄的分布,在油脂分泌旺盛的地方多涂一些、涂厚一些,而在比较干燥的部位只需要涂上薄薄的一层即可。

✎ 粉状材料要注意质地

控油祛痘面膜DIY在很多时候都需要用到粉状材料,比如珍珠粉、绿茶粉等,在购买时要注意质地。如果质地不够细腻、粉粒过大,很容易阻塞毛孔,不仅无法解决油光的问题,还可能会堵塞毛孔,造成更多的肌肤问题。

✎ 与保湿和去角质结合

如果肌肤存在油光、痘痘等问题,单单使用控油祛痘面膜仍然是无法起到最佳效果的,最好能与保湿、去角质等护肤程序相结合。因为脸部的油光很可能是肌肤缺水、角质层老化所致。所以最好安排好做面膜的时间,让保湿、去角质、控油、祛痘全方面进行。

控油祛痘面膜
Acne Mask

芦荟蜂蜜面膜

- **准备材料：** 芦荟1片、蜂蜜2小匙。
- **轻松DIY：** 1.将芦荟洗净，去皮，放入榨汁机中榨汁。2.将蜂蜜放入芦荟汁中搅匀即可。

使用方法 洁面后，用热毛巾敷脸，将面膜均匀地敷在脸上，20分钟后用温水洗净即可。每周2次。

美丽功效 此款面膜中的多糖类能缓解红肿，清除毛孔内黑头和污垢，调节肌肤油水均衡，预防黑头和青春痘的形成，活化皮肤细胞，增强肌肤的局部修复功能，淡化痘斑。

〔美人物语〕

*许多女性想靠吃芦荟达到排毒养颜的目的，但一定要先了解好自己的体质。芦荟是一种清热解毒的食物，体质虚弱或脾胃虚寒的人要慎用。

★适用肤质：敏感性肤质慎用。

绿茶芦荟面膜

- **准备材料：** 绿茶粉2小匙、鲜芦荟叶1片、面粉4小匙。
- **轻松DIY：** 1.将芦荟叶洗净，去刺，去皮，切成小块后，放入搅拌机中打成芦荟泥。用无菌滤布将残渣滤掉，留取汁液。2.面粉中加入芦荟汁搅拌后，再加入绿茶粉混合均匀即可。

使用方法 洁面后将面膜均匀敷在脸上，15分钟后用温水洗净。

美丽功效 芦荟是皮肤最佳的补水美白佳品，能让肌肤润泽而无油光。与绿茶配合，有抗氧化、控油紧肤功效。

★适用肤质：任何肤质。

★适用肤质：中性或油性肤质。

绿茶橘皮粉蛋清面膜

■ **准备材料：** 绿茶粉4小匙、鸡蛋1个（取蛋清）、干燥橘皮粉2小匙。

■ **轻松DIY：** 1.鲜橘皮放于通风处约7天待其干燥，或者直接用微波炉加热约5分钟，橘皮可以迅速干燥（如果没有鲜橘皮，可以去中药店购买干燥的陈皮代替）。2.将干燥橘皮切成小块，放入食品料理器，使用粉碎功能打成粉末。3.将绿茶粉、橘皮粉拌匀，再用蛋清调成糊状即可。

使用方法 洁面后将面膜均匀敷在脸上，15分钟后用清水冲洗干净。每周2～3次。

美丽功效 绿茶和橘皮对于肌肤都有收敛和控油的作用，能让肌肤感觉清爽无比。

〔美人物语〕

*如果肌肤属干性，只需要再加入一点蛋黄，便可以防止肌肤干燥。绿茶粉可以抗氧化。日常生活中，我们可以常饮用绿茶帮助电脑族抵御电脑辐射。

小苏打牛奶面膜

■ **准备材料：** 小苏打4小匙、牛奶2大匙。

■ **轻松DIY：** 1.取出小苏打放入碗中。2.将牛奶倒入，搅拌均匀即可。

使用方法 洁面后，用热毛巾敷脸，将面膜均匀地涂在脸上，20分钟后，用温水洗净即可。每周1次。

美丽功效 此款面膜在制作过程中会产生大量气泡，使用面膜，能够使毛孔充分张开，并且将里面的脏东西顶出来。对去黑头、去油脂有很好的效果，并能防止痘痘产生。

★适用肤质：敏感性肤质慎用。

土豆牛奶面膜

- ■准备材料：土豆1个、牛奶3大匙、面粉适量。
- ■轻松DIY：**1.**将土豆洗净，去皮，切块，榨汁备用。**2.**在土豆汁中加入牛奶和面粉，搅拌成糊状即可。
- (使用方法) 洁面后，用热毛巾敷脸，将面膜均匀地涂在脸上，20分钟后，用温水洗净即可。每周2～3次。
- (美丽功效) 此款面膜中含有大量有益肌肤的营养成分，牛奶能有效淡化色斑，对肌肤起到较好的嫩白和收敛作用；而土豆可以控油祛痘，让肌肤保持清爽。

★适用肤质：敏感性肤质慎用。

〔美人物语〕

*土豆中的营养成分可以促进皮肤细胞生长，保持皮肤光泽，抑制黑色素沉淀，防止皮炎的产生，不仅可以美白嫩肤，还可以减退各种色斑。

白醋面膜

- ■准备材料：白醋4小匙、面粉2大匙。
- ■轻松DIY：将白醋和面粉混合，搅拌均匀即可。
- (使用方法) 洁面后，用热毛巾敷脸，将面膜均匀地涂在脸上，20分钟后，用温水洗净即可。每周2～3次。
- (美丽功效) 此款面膜能够有效抑制肌肤中黑色素的形成，淡化脸部的色斑，并且能够深入清洁毛孔，有效去除面部多余的油脂，让脸部肌肤保持洁净的状态，从而预防痘痘的产生。

★适用肤质：敏感肤质禁用。

★适用肤质：敏感性肤质慎用。

蒜蜜面膜

- ■ 准备材料：大蒜1头、小麦粉3大匙、蜂蜜2大匙。
- ■ 轻松DIY：**1.**将大蒜去皮，洗净，捣成泥状。**2.**在蒜泥中加入蜂蜜，再倒入小麦粉中搅拌均匀。**3.**然后置于阴凉处放置一个晚上。

（使用方法）洁面后，用热毛巾敷脸，将面膜均匀地涂在脸上，15～20分钟后用温水洗净。每周2～3次。

（美丽功效）此款面膜具有很好的消炎祛痘功效，能刺激脸部皮肤的血管，给予细胞活力，促进血液循环，加快新陈代谢，使细胞里的黑色素无法生存。

〔美人物语〕

*大蒜有相当强的杀菌作用，能够抑制多种致病菌，对皮肤真菌和霉菌抗杀效果十分明显，且没有耐药性。大蒜还具有强化角质的作用，长期使用，面部较浅的皱纹也会消失。

★适用肤质：敏感性肤质慎用。

土豆橄榄油面膜

- ■ 准备材料：土豆1个、橄榄油3小匙。
- ■ 轻松DIY：**1.**土豆洗净，去皮，上锅蒸熟后，切成小块，搅拌成土豆泥。**2.**将橄榄油加入土豆泥中，拌匀即可。

（使用方法）洁面后，用热毛巾敷脸，将面膜均匀地涂在脸上，20分钟后，用温水洗净即可。每周2～3次。

（美丽功效）此款面膜能深层清洁肌肤，具有消炎除斑的功效，对顽固的痘痘也有很好的清除效果。

★适用肤质：任何肤质。

〔美人物语〕

*玫瑰是极佳的保湿剂，含有香茅醛等成分，能舒缓情绪，调血气，有效改善老化、干燥、敏感的肌肤状况。玫瑰能够促进血液循环，有活血、淡斑、去痘的功效，一直是美容界的宠儿。

玫瑰黄瓜面膜

■ 准备材料：玫瑰花3朵、新鲜黄瓜1/2根、珍珠粉2大匙。

■ 轻松DIY：1.将黄瓜洗净，切丁，同玫瑰花一起捣成泥状。2.然后加入珍珠粉混合均匀即可。

使用方法 温水洁面后，用热毛巾敷脸，将面膜均匀地涂在脸上，避开眼部、唇部肌肤，20～25分钟后用温水洗净。每周2～3次。

美肤功效 此款面膜能有效消除暗疮、淡化色斑，也能控油，具有很好的美白功效。

薏米冬瓜仁面膜

■ 准备材料：薏米30克，冬瓜仁15克，贝母、香附各10克，鸡蛋1个（取蛋清）。

■ 轻松DIY：1.将薏米、冬瓜仁、贝母和香附研成细末，过筛后备用。2.蛋清打散，倒入细粉末中，搅拌均匀即可。

使用方法 洁面后，用热毛巾敷脸，将面膜均匀地涂在脸上，注意避开眼部、唇部肌肤，15～20分钟后，用温水洗净。每周2次。

美肤功效 此款面膜能够加速血液循环，抑制黑色素的形成。此外，还可淡化色斑，消除细纹。

★适用肤质：任何肤质。

香芹酸奶面膜

- **准备材料：** 新鲜香芹叶20克、酸奶3大匙。
- **轻松DIY：** 1.将香芹叶洗净，切碎。2.在切碎的香芹叶中加入酸奶搅拌均匀，放置3小时即可。
- **使用方法** 洁面后，用热毛巾敷脸，将面膜均匀地涂在脸上，注意避开眼部和唇部肌肤，15~20分钟后，用温水洗净。每周2~3次。
- **美丽功效** 无论是香芹还是酸奶，都具有极佳的美白作用。此款面膜中的某些成分能够淡化色斑，使肌肤美白细致，也能清凉消炎、保湿镇静、消除脸部红肿不适。

★适用肤质：干性、中性及混合性肤质。

〔美人物语〕

*芹菜中的某些成分有抑制黑色素生长、促使肌肤美白的作用。而且芹菜香气浓郁，味甘性凉，具有洁肤润色、镇静消肿的作用。注意香芹叶切得越碎，就越有利于皮肤吸收。

★适用肤质：任何肤质。

茄皮面膜

- **准备材料：** 新鲜茄子1个。
- **轻松DIY：** 1.将茄子去蒂，洗净，晾干。2.将茄子的外皮削成较为均匀的片状。
- **使用方法** 洁面后，用热毛巾敷脸，将茄子皮表皮朝外贴在脸上，注意避开眼部和唇部肌肤，20分钟后用温水洗净。每周4~6次。
- **美丽功效** 此款面膜的最大功效是淡化脸部色斑，对于脸上碍眼的痘疤也有一定的清除作用。

★适用肤质：中性、油性及混合性肤质。

〔美人物语〕

*益母草又名坤草，是历代医家用来治疗妇科病的药材，它含有硒和锰等微量元素，可抗氧化、防衰老、抗疲劳，有很好的养颜功效。此外，益母草中还有益母草碱、月桂酸、芸香苷等成分，能够清热活血，有效去除黑斑和痘痘。

益母草黄瓜面膜

■ 准备材料：益母草10克、新鲜黄瓜1/2根、蜂蜜1小匙。

■ 轻松DIY：1.将益母草碾为粉末。2.黄瓜洗净，切块，榨汁。3.将上述材料混合，调入蜂蜜，充分搅拌均匀即可。

使用方法 温水洁面后，用热毛巾敷脸，将面膜均匀地涂在脸上，注意避开眼部和唇部肌肤，20分钟后用温水洗净。每周1～2次。

美丽功效 此款面膜能清热解毒，去斑养颜，对痘痘和暗疮有快速清除的作用。此外，它还具有帮助人们抵抗疲劳、延缓皮肤衰老的功效。

★适用肤质：油性及痘痘肤质。

菠萝金银花祛痘面膜

■ 准备材料：菠萝50克，通心粉10克、金银花1/2大匙。

■ 轻松DIY：1.菠萝去皮，洗净，切小块，放入榨汁机中榨成汁，倒入面膜碗中。2.将通心粉、金银花研成细粉。3.将研好的细粉放入菠萝汁中，搅拌均匀即可。

使用方法 洁面后，用热毛巾敷脸，将面膜均匀地涂在脸上，注意避开眼部和唇部肌肤，15～20分钟后，用温水洗净。每周1～2次。

美丽功效 此款面膜能滋润肌肤，去除角质，淡化面部色斑，促进肌肤新陈代谢。

★适用肤质：任何肤质。

〔美人物语〕

*金银花能够清热去痘，促进细胞代谢，为肌肤提供营养，并帮助肌肤排出毒素，达到让肌肤光滑、润白的效果。此外，土豆容易氧化，不宜保存，所以面膜不要制作过多。

土豆金银花祛痘面膜

■ 准备材料：土豆1块、橘子1/2个、金银花（用少量沸水泡好）1/2大匙。

■ 轻松DIY：1.土豆洗净，切块，倒入搅拌机中。2.橘子去皮，放入搅拌机中与土豆一起搅打。3.将金银花加入搅拌机中，搅打均匀成糊状。

（使用方法）洁面后，用热毛巾敷脸，将面膜均匀地涂在脸上，注意避开眼部和唇部肌肤，15～20分钟后，用温水洗净。每周1～2次。

（美丽功效）这款面膜含有丰富的维生素C，能深层滋润肌肤，为肌肤提供亮白因子，赶走黑色素和细纹。

薰衣草黄豆粉面膜

■ 准备材料：黄豆粉2小匙、薰衣草精油2滴、矿泉水少许。

■ 轻松DIY：1.将薰衣草精油加矿泉水稀释，搅匀。2.加入黄豆粉拌匀即可。

（使用方法）洁面后，用热毛巾敷脸，将面膜均匀地涂在脸上，注意避开眼部和唇部肌肤，20分钟后，用温水洗净。每周1～2次。

（美丽功效）此款面膜可以控制油脂分泌，调节肌肤水油平衡，从而起到祛痘的功效。另外，它还可以滋润肌肤，保持肌肤水嫩。

★适用肤质：油性肤质。

★适用肤质：任何肤质。

〔美人物语〕

*香蕉含有多种维生素，且胆固醇含量低，常吃能使肌肤细腻，常用香蕉汁搽脸搓手，可以防止皮肤老化。

香蕉奶酪祛痘面膜

■ 准备材料：香蕉1根、奶酪1大匙。

■ 轻松DIY：1.香蕉去皮备用。2.将奶酪和香蕉放入搅拌机中，搅拌成糊状即可。

(使用方法) 洁面后，用热毛巾敷脸，将面膜均匀地涂在脸上，注意避开眼部和唇部肌肤，20分钟后，用温水洗净。每周1～2次。

(美肤功效) 此款面膜能清除脸部肌肤多余的油脂，并且彻底清除毛孔中的污垢及毒素，从而防止痘痘的产生。此外，它还可以帮助肌肤的细胞有效吸收各种营养，并能有效锁住水分，使肌肤变得清爽润泽。

★适用肤质：任何肤质。

椰汁芦荟绿豆粉面膜

■ 准备材料：椰子水1/2杯、芦荟1根、绿豆粉1大匙。

■ 轻松DIY：1.芦荟洗净，去皮。2.将芦荟叶肉与椰子水一同放入榨汁机中。3.将绿豆粉加入榨汁机中，与椰子水、芦荟叶肉一起搅打成汁液即可。

(使用方法) 洁面后用热毛巾敷脸，将面膜均匀地涂在脸上，避开眼部和唇部，15分钟后，用温水洗净。每周1～2次。

(美肤功效) 调节肌肤水油平衡，改善肌肤松弛现象，使肌肤净白、嫩滑、有光泽。

★适用肤质：任何肤质。

〔美人物语〕

*洗脸虽然是美丽肌肤的基本动作，但是不要过度清洗，这样会将肌肤上的保护油脂完全洗去，反而会使肌肤过于干燥，对肌肤造成更大的伤害。

大蒜面粉抗痘面膜

■ 准备材料：面粉3大匙、大蒜3瓣、纯净水适量。

■ 轻松DIY：**1.**大蒜去皮，洗净，放入微波炉中加热2分钟，取出，捣成蒜泥。**2.**将蒜泥和面粉加纯净水搅拌均匀即可。

(使用方法) 洁面后，用热毛巾敷脸，将面膜均匀地涂在脸上，注意避开眼部和唇部肌肤，15～30分钟后，用温水洗净。每周1～2次。

(美丽功效) 此款面膜具有消除脸部水肿、清除痘痘、去除角质的功效，使脸部轮廓更为精致。

★适用肤质：任何肤质。

玉米粉牛奶祛痘面膜

■ 准备材料：玉米粉2大匙、牛奶450毫升。

■ 轻松DIY：将玉米粉、牛奶倒入面膜碗中，搅拌成泥状即可。

(使用方法) 洁面后，用热毛巾敷脸，将面膜均匀地涂在脸上，注意避开眼部和唇部肌肤，15～30分钟后，用温水洗净。每周1～2次。

(美丽功效) 此款面膜能有效清除皮肤上的污垢、平衡肌肤油脂，并能有效收缩毛孔、防止痘痘产生，使肌肤得到充足的水分。

★适用肤质：任何肤质。

〔美人物语〕

*鸡蛋含有丰富的蛋白质，能促进肌肤细胞生长和新陈代谢，使肌肤更加嫩滑。同时，还有助于修复受损细胞，能增强人体对病菌的抵抗能力，促进人体的新陈代谢，改善肌肤状况。

蛋清米醋抗痘面膜

■ 准备材料：鸡蛋1个、米醋适量。

■ 轻松DIY：**1.**将鸡蛋打破，取出蛋清备用。**2.**将蛋清放入米醋中浸泡。**3.**三天后，取出蛋清醋搅拌均匀。

使用方法 洁面后，用热毛巾敷脸，将面膜均匀地涂在脸上，注意避开眼部和唇部肌肤，15～30分钟后，用温水洗净。每周1～2次。

美丽功效 此款面膜能够温和地去除脸上的痘痘和面疮，从而使肌肤变得更加光滑、紧致，并且具有弹性。注意此款面膜的原材料容易变质，最好一次用完。如果有剩余，可用玻璃器皿放入冰箱内冷藏。

★适用肤质：油性肤质。

薏米百合控油面膜

■ 准备材料：薏米2大匙、干百合1大匙、蜂王浆1大匙、纯净水3大匙。

■ 轻松DIY：**1.**薏米、干百合洗净，沥干。**2.**将薏米、干百合放入锅中，加入纯净水，用小火煮至稀稠适宜，关火。**3.**加入蜂王浆，搅拌均匀，冷却即可。

使用方法 洁面后，用热毛巾敷脸，将面膜均匀地涂在脸上，注意避开眼部和唇部肌肤，15分钟后，用温水洗净。每周1～2次。

美丽功效 此款面膜有很好的清热解毒的功能，更能滋润肌肤，消除雀斑。

★适用肤质：任何肤质。

〔美人物语〕

*需要注意的是，在使用燕麦粉来制作面膜时，一定要选择纯燕麦粉，而不要选择那些添加了糖或牛奶等配料的产品。

燕麦珍珠粉茶叶面膜

■ 准备材料：燕麦粉1大匙、鸡蛋1个、茶叶末1小匙、珍珠粉少许。

■ 轻松DIY：1.将鸡蛋放入锅中，加入适量清水，大火煮沸后转小火，将鸡蛋煮熟，取蛋黄备用。2.在燕麦粉中加入煮熟的鸡蛋黄、珍珠粉、茶叶末混合，充分搅拌均匀即可。

(使用方法) 洁面后，将面膜涂于面部，20~30分钟后用清水洗去。每周1次。

(美丽功效) 此款面膜不仅具有抗氧化作用，还有美白紧肤效果，对粉刺也有一定的治疗效果。

★适用肤质：混合性、油性肤质。

猕猴桃面粉抗痘面膜

■ 准备材料：猕猴桃1/2个、面粉2大匙。

■ 轻松DIY：1.将猕猴桃去皮并切块，放入果汁机中打成泥状。2.在猕猴桃泥中加入面粉，调成糊状即可。

(使用方法) 洁面后，将面膜均匀地涂在脸上，避开眼部和唇部皮肤，约15分钟后用清水洗净即可。每周1次。

(美丽功效) 猕猴桃汁液中富含果酸和抗氧化物质，对清洁、保养皮肤有显著效果。此款面膜可深层清洁肌肤，去除毛孔中的污垢与杂质，有效预防痘痘。

甘菊薰衣草消痘面膜

■ 准备材料： 甘菊精油2滴、薰衣草精油4滴、绿豆
粉1匙、甘油1/2匙、矿泉水少许。

■ 轻松DIY： 1.将绿豆粉、甘油及矿泉水放入面膜
碗中调成糊状。2.滴入甘菊精油和薰
衣草精油，充分搅拌均匀即可。

■ 使用方法 温水洁面后，将面膜均匀地敷在脸
上，约15分钟后用温水清洗干净。每
周2次。

■ 美丽功效 薰衣草精油能促进细胞再生，平衡皮
脂分泌，达到改善面疮的功效。薰衣
草精油的香味能缓解焦虑、愤怒的情
绪。绿豆粉具有很好的清热功效。本
款面膜具有深层清洁、调理油性肌
肤、清除痘痘、排毒、助眠的功效。

★ 适用肤质：敏感性肤质及晒伤肤质。

〔美人物语〕

*滴一滴洋甘菊精油于洗脸水中。早晚洗脸时，用毛
巾按敷脸部5分钟，具有舒缓情绪的作用。此外，用
10滴洋甘菊精油配5毫升甜杏仁油，可以治疗皮肤湿
疹。每天用配好的精油，直接涂抹在患处2~3次。

★ 适用肤质：任何肤质。

番茄蛋清燕麦粉面膜

■ 准备材料： 番茄1个，鸡蛋1个（取蛋清），燕麦粉、蜂蜜各
适量。

■ 轻松DIY： 1.番茄洗净后放入榨汁机中榨成汁，用无菌纱布滤去
渣子，取汁液。2.在番茄汁中加入蜂蜜、燕麦粉、鸡
蛋清搅拌均匀即可。

■ 使用方法 洁面后，将面膜均匀地敷在脸上，避开唇周、眼周、
鼻部，约20分钟后用温水洗干净。每周2次。

■ 美丽功效 番茄红素有抗氧化作用，番茄还有帮助平衡油脂分泌
作用。本款面膜可以调节皮肤水油平衡，有效美白紧
致肌肤。

柠檬草佛手柑抗痘面膜

- ■ 准备材料：柠檬草精油4滴、佛手柑精油8滴、绿豆粉2大匙、甘油1小匙、矿泉水少许。
- ■ 轻松DIY：将绿豆粉、甘油及矿泉水放入面膜碗中，滴入柠檬草精油及佛手柑精油，搅拌均匀即可。

（使用方法） 温水洁面后，将面膜均匀地敷在脸上，约15分钟后用温水洗净。每周1～2次。

（美丽功效） 柠檬草精油具有很强的杀菌作用，佛手柑精油可使皮肤水油平衡，同样可以改善肤质。本款面膜对皮肤的清洁作用较好，经常使用可令皮肤充满活力，还可预防痘痘出现。

〔美人物语〕

*早晚洗脸时，往脸盆里滴一滴佛手柑精油，可以改善油性皮肤，收敛毛孔，而且佛手柑的芬芳气息会让人感到非常舒服。

★适用肤质：任何肤质。

薄荷牛奶清肌面膜

- ■ 准备材料：薄荷精油2滴、牛奶100毫升、面粉少许。
- ■ 轻松DIY：1.将牛奶和面粉倒入面膜碗中，搅拌成糊状。2.加入薄荷精油并充分搅拌，使所有材料充分混合均匀即可。

（使用方法） 温水洁面后，将面膜厚厚地敷在脸上，约20分钟后用清水洗净。每周1～2次。

（美丽功效） 薄荷精油可以清除皮肤污垢，净化肌肤，对于清除黑头粉刺及油脂有很好的效果。与牛奶配合，可以清洁滋润皮肤，防治痘痘。

★适用肤质：中性肤质。

抗衰紧肤面膜，
只要青春不要"皱"

1 抗衰老面膜的紧致原理

为什么肌肤会松弛，为什么皱纹会出现？这是由我们的肌肤细胞决定的。细胞和细胞之间的纤维，随着时间的流逝而慢慢退化，让肌肤失去了弹性。而皮下脂肪流失使得肌肤失去了支持，从而变得松垂起来。支持皮肤的肌肉松弛了，皮肤本身也会随之松弛。

而各种外界因素更加快了皮肤松弛的速度。比如地心引力、遗传、吸烟，以及阳光的照射，甚至心理上的压力，都会促使皮肤结构失去弹性、变得松弛起来。对女性来说，被首先发现的，就是面部纹路。

提升紧致，活化细胞

针对肌肤的松弛与皱纹问题，抗衰老紧肤面膜能起到提升紧致的作用，主要针对松弛或初现老化的肌肤。其次还能抵抗皱纹、对抗老化，对脸部的细纹起到淡化的作用，加强皮肤细胞组织活化，增加皮肤弹性和光泽。

抗衰老，加强肌肤修复

抗衰老面膜还能给肌肤提供各种各样的营养，比如银耳、珍珠粉等，能提供多种氨基酸，各种维生素如维生素A、维生素E等，旨在促使皮肤小动脉扩张，增强皮肤毛细血管抵抗力，改善循环，同时提供营养。

还有一些面膜能够为你补充胶原蛋白，一旦身体获得足够胶原蛋白，即能迅速修复受伤的组织，提升细胞新陈代谢。

保持湿润，抵抗皱纹出现

皱纹的出现，常常与干燥有关，而水分是防止皮肤生出皱纹的重要因素。因此，抗衰老面膜也离不开各类保湿材料，并提供维生素A、维生素D、维生素E等，让肌肤保持时刻水润嫩滑，干纹的出现自然也能得到缓解。

Natural
Mask

■NATURAL MASK

2 抗衰老面膜常用材料大公开

◎鸡蛋

鸡蛋含有丰富的蛋白质，能很好地滋养、紧实肌肤，是不可多得的护肤材料。尤其是蛋清，其氨基酸的组成与人体最接近，还有清热解毒、消炎、保护皮肤和增强皮肤免疫功能的作用。

◎红酒

红酒是近年来流行的美容圣品，具有抗氧化和促进血液循环的作用，能延缓肌肤衰老，令肤色红润。红酒还能软化角质，使肌肤柔嫩光泽。

◎木瓜

木瓜含有丰富的木瓜醇素和胡萝卜素等成分，可以软化肌肤角质，使肌肤光滑细嫩。

◎银耳

银耳用作面膜可以起到类似骨胶原的功效，能紧致肌肤、消除皱纹，让肌肤变得光泽而有弹性，并对抗外界的干燥环境，防止肌肤失水。

◎豆腐

豆腐含有丰富的大豆异黄酮，具有抗氧化的作用，能让暗沉的肌肤恢复光泽。它还含有天然的植物乳化剂——卵磷脂，能强化肌肤的保湿效果；加上酵母粉调和成面膜，能强化肌肤的防御功能。

◎维生素E

维生素E具有很好的润肤功效，能给肌肤提供足够的滋养，并且淡化肌肤细纹。目前市面上所售的维生素E一般是胶囊的形式，使用非常方便。

3 抗衰老面膜使用注意事项

清洁动作要轻柔

在敷抗衰老面膜之前的清洁程序中，一定要注意轻柔清洗，不要用力过度，否则会对肌肤造成过度拉扯，从而进一步加重肌肤松弛和细纹的症状。最好不用粗糙毛巾，而用中指和无名指的指腹轻轻清洗。

DIY材料品质要求高

抗衰老面膜对于DIY材料的品质，要求是最高的。在挑选所使用的果蔬材料时，一定要注意色泽自然。比如柑橘类和木瓜，要选择橘红色的，而偏黄色的则品质较差；水果的形状要饱满，比如芒果饱满，则果肉较多。

与按摩相辅助

对于因缺水而出现的临时性干纹，抗衰老面膜和保湿面膜都可以起到一定的效果。但如果是已经形成了的真性皱纹，则很难通过一两次的抗衰老面膜有所改变。所以还需要与按摩相辅助，让肌肤真正充满活力，并防止更多表情纹的出现。

敷面膜后锁水是关键

抗衰老的关键是防止肌肤水分和养分的流失。因此，敷面膜后的锁水是使用抗衰老面膜的重中之重。在面膜使用完毕，对脸部进行清洗之后，一定要趁脸部仍然湿润的时候，使用保湿产品进行锁水，将肌肤调理到水油平衡的最佳状态，才能真正让肌肤得到自我保护。

❀MASK

抗衰紧肤面膜
Anti Aging Mask

★适用肤质：任何肤质。

自制胶原蛋白面膜

■ 准备材料：猪蹄1只、水适量。

■ 轻松DIY：1.将猪蹄洗净，剁成小块，入烧沸的水中焯烫，捞出，用清水洗净。2.锅内倒入清水，放入猪蹄，用大火烧沸，然后转小火煮约1小时，待猪蹄软烂、成膏状即可。

洁面后，用热毛巾敷脸，将面膜均匀地涂在脸上，注意避开眼部和唇部肌肤，10～15分钟后，用温水洗净。每周1～2次。

此款面膜中的猪蹄含有丰富的胶原蛋白，能为肌肤提供充足的营养，从而让肌肤看起来非常水嫩，摸起来光滑、有弹性。

★适用肤质：任何肤质。

蛋清蜂蜜面膜

■ 准备材料：鸡蛋1个、蜂蜜2小匙。

■ 轻松DIY：1.将鸡蛋磕开，取蛋清备用。2.加入蜂蜜搅拌均匀即可。

洁面后，用热毛巾敷脸，将面膜均匀地涂在脸上，注意避开眼部和唇部肌肤，10～15分钟后，用温水洗净。每周1～2次。

此款面膜中将蛋清和蜂蜜合用，既能滋养肌肤，又能增强肌肤弹性。

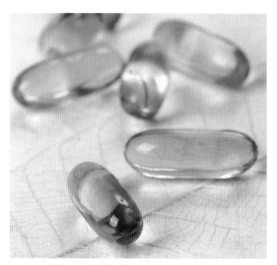

★适用肤质：任何肤质。

〔美人物语〕

*上了年纪的皮肤会需要更长的时间来吸收保养品中的营养物质，但多数营养物质很容易被氧化变质，等肌肤吸收时，营养成分已不起作用了。所以，要学会用鲨鱼油锁住肌肤需要的养分。

鲨鱼油面膜

- 准备材料：鲨鱼油胶囊1个。
- 轻松DIY：1.取出一个鲨鱼油胶囊。2.用牙签扎破，挤出汁液。

使用方法 洁面后，用热毛巾敷脸，将鲨鱼油均匀地涂在脸上，注意避开眼部和唇部肌肤，10～15分钟后，用温水洗净。每周1～2次。

美丽功效 这是一款极佳的抗衰老面膜，其中有角鲨烯和角鲨烷这两种物质，其中角鲨烯有着较强的抗氧化作用，专门负责对肌肤进行修复工作，而角鲨烷则是一种惰性很强的油脂，它能够保护肌肤的营养成分不流失。

★适用肤质：任何肤质。

蜂蜜杏仁面膜

- 准备材料：蜂蜜1大匙、杏仁15克。
- 轻松DIY：1.杏仁洗净，用热水泡软后碾成泥。2.加入蜂蜜，拌匀即可。

使用方法 洁面后，用热毛巾敷脸，将面膜均匀地涂在脸上，注意避开眼部和唇部肌肤，10～15分钟后，用温水洗净。每周1～2次。

美丽功效 此款面膜能使肌肤变得柔软有弹性，在短期内恢复面部营养和水分，预防皮肤干燥、老化，让肌肤保持弹性和活力。此外，还能消除黑斑和其他一些面部斑点，并能延缓皮肤细胞的衰老。

★适用肤质：油性及混合性肤质。

玉米绿豆紧致面膜

- ■准备材料：盐2小匙，玉米片、绿豆各2大匙。
- ■轻松DIY：**1.**玉米片、绿豆分别浸泡约1小时。**2.**将绿豆倒入搅拌机中，打成糊。**3.**将浸泡成糊状的玉米片加到绿豆糊中，加盐搅拌均匀即可。

使用方法 洁面后，用热毛巾敷脸，将面膜均匀地涂在脸上，注意避开眼部和唇部肌肤，15分钟后，用温水洗净。每周1~3次。

美丽功效 此款面膜能够为肌肤消炎、祛痘，对眼角的鱼尾纹和发际处的皱纹有淡化作用，也可令肌肤紧致，还能收缩粗大的毛孔。

〔美人物语〕
*毛孔大小是与生俱来的，但是日常的保养多少也可以解决毛孔问题。用蒸汽蒸脸就是一个有效的方法。用杯子装上水，再用微波炉加热后，将蒸汽对准脸上有毛孔问题的部位，可以软化毛孔里所含的污垢，再洗脸效果非常好！

柠檬蛋清紧肤面膜

- ■准备材料：鸡蛋1个、柠檬汁1小匙。
- ■轻松DIY：**1.**将鸡蛋打破，去壳，留取蛋清。**2.**在蛋清中加入柠檬汁，充分搅拌均匀。

使用方法 洁面后，用热毛巾敷脸，将面膜均匀地涂在脸上，注意避开眼部和唇部肌肤，20分钟后，用温水洗净。每周1~3次。

美丽功效 此款面膜能有效收缩毛孔，增加肌肤弹性，使脸部肌肤紧实、嫩白。

★适用肤质：任何肤质。

★适用肤质：任何肤质。

奶酪蛋清紧致面膜

■准备材料：奶酪1大匙、鸡蛋1个。

■轻松DIY：**1.**磕开鸡蛋，滤取蛋清，盛入面膜碗中。**2.**将奶酪捣碎，加入蛋清中，一起搅拌均匀。

使用方法 洁面后，用热毛巾敷脸，将面膜均匀地涂在脸上，注意避开眼部和唇部肌肤，10~15分钟后，用温水洗净。每周1~2次。

美丽功效 此款面膜具有很好的润肤以及收敛功效，能够为肌肤补充营养与水分，还能够延缓肌肤衰老，防止脸部皱纹的产生。

〔美人物语〕

*压力过大会导致内分泌失调，肌肤失去弹性，免疫力降低，肌肤纹路越来越粗，毛孔也变得更粗大。所以，要处理好生活与工作中的压力。

红薯酸奶紧致面膜

■准备材料：红薯1个、酸奶1杯。

■轻松DIY：**1.**红薯去皮，洗净，放入蒸锅中蒸30分钟，直至软烂。**2.**将软烂的红薯切成小块，放入搅拌机中，再倒入酸奶，搅拌均匀。**3.**将搅拌好的面膜倒入玻璃器皿中，待冷却后即可。

使用方法 洁面后，用热毛巾敷脸，将面膜均匀地涂在脸上，注意避开眼部和唇部肌肤，15分钟后，用温水洗净。每周1~2次。

美丽功效 此款面膜能有效去除痘痘，收缩毛孔，使肌肤光滑、柔嫩。

★适用肤质：任何肤质。

★适用肤质：油性及痘痘肤质。

咖啡蛋清杏仁紧致面膜

- ■ 准备材料：杏仁25克、咖啡粉1大匙、鸡蛋1个。
- ■ 轻松DIY：**1.**杏仁用热水泡软后碾成泥。**2.**鸡蛋磕开，取蛋清备用。**3.**将咖啡粉、杏仁泥以及蛋清混合，搅拌均匀即可。

洁面后，用热毛巾敷脸，将面膜均匀地涂在脸上，注意避开眼部和唇部肌肤，15～20分钟后，用温水洗净。每两周可使用1次。

此款面膜中的咖啡、蛋清和杏仁一同作用，能够有效地淡化脸部色斑，消除皱纹。

〔美人物语〕

*洗脸时最好用32℃左右温水，用手搓揉出大量泡沫按摩脸部，清水洗净，毛巾擦干，然后立刻使用化妆水，使脸部得到更多的滋润。

★适用肤质：中性肤质。

蜂蜜小苏打紧肤面膜

- ■ 准备材料：蜂蜜2大匙、小苏打粉1/2小匙。
- ■ 轻松DIY：将蜂蜜、小苏打粉一同放入面膜碗中搅拌均匀即可。

洁面后，用热毛巾敷脸，将面膜均匀地涂在脸上，注意避开眼部和唇部肌肤，轻拍整个面部，直至感觉有点黏为止，约15分钟后，用清水洗净。每周1次。

此款面膜能有效滋润肌肤，淡化皱纹，并能增加肌肤弹性与活力。

★适用肤质：任何肤质。

燕麦紧致面膜

- ■ 准备材料：燕麦粉2大匙、纯净水1/2杯。
- ■ 轻松DIY：**1.** 将燕麦粉加入纯净水中，放入锅中煮5分钟。**2.** 将煮好的燕麦糊稍微放置几分钟，待温度适宜时再用即可。

使用方法 洁面后，用热毛巾敷脸，将面膜均匀地涂在脸上，注意避开眼部和唇部肌肤，15分钟后，用温水洗净。每周1次。

美丽功效 此款面膜可有效滋润、美白肌肤，使肌肤更加细腻、紧实、有弹性。

〔美人物语〕

*燕麦含有丰富的维生素和蛋白质，能够滋润皲裂和干燥的肌肤。冬日气候干燥，将燕麦粉与柠檬按一定比例搭配来泡澡，可以使全身上下倍感滋润。

★适用肤质：任何肤质。

蜂蜜牛奶紧致面膜

- ■ 准备材料：鸡蛋1个（取蛋清）、蜂蜜1大匙、奶粉3大匙、维生素E胶囊1粒。
- ■ 轻松DIY：将维生素E油液、蛋清、蜂蜜、奶粉一起混合均匀即可。

使用方法 洁面后，用热毛巾敷脸，将面膜均匀地涂在脸上，注意避开眼部和唇部肌肤，15分钟后，用温水洗净。每周1~2次。

美丽功效 此款面膜能有效改善肌肤松弛的现象，可使肌肤柔软、光滑。

葡萄木瓜紧肤面膜

■ 准备材料：无子葡萄适量、木瓜1小块、红酒1小匙。

■ 轻松DIY：1.将无子葡萄洗净；木瓜洗净，去皮，切块。二者一同放入搅拌机中搅打成泥。2.加入红酒，然后充分搅拌均匀即可。

（使用方法）洁面后，用热毛巾敷脸，将面膜均匀地涂在脸上，注意避开眼部和唇部肌肤，10~15分钟后，用温水洗净。每周1~2次。

（美丽功效）此款面膜含有抵抗老化的花青素，能延缓肌肤衰老，防止皱纹产生，具有美白、润肤的作用，也能使松弛的肌肤重新变得紧致。

★适用肤质：除敏感性肤质外均适用。

〔美人物语〕

*葡萄子具有柔软及保湿肌肤的功效；葡萄果肉中含有水溶性维生素，能使肌肤水嫩、白皙、富有弹性；葡萄多酚具有强化和促进血液循环、保护肌肤的胶原蛋白和弹性蛋白，防止紫外线的伤害。

蛋黄橄榄油紧肤面膜

■ 准备材料：鸡蛋1个、橄榄油1大匙。

■ 轻松DIY：1.鸡蛋打破，去壳，取出蛋黄，并将蛋黄打成汁液状。2.将橄榄油、蛋黄汁液放入容器中，充分搅拌均匀。

（使用方法）洁面后，用热毛巾敷脸，将面膜均匀地涂在脸上，注意避开眼部和唇部肌肤，10~15分钟后，用温水洗净。每周1~2次。

（美丽功效）橄榄油具有很好的滋润效果，能够有效除皱紧肤，搭配具有抗老化功能的蛋黄，紧肤功效更为显著。

★适用肤质：干性肤质。

〔美人物语〕

*橄榄油是纯天然的植物精华，有着"液体黄金"的美誉，性质温和且不刺激，任何部位都可以使用。橄榄油的精华成分很容易溶解毛孔内的污垢及油性彩妆。

★适用肤质：各种肤质，尤其是油性及问题肤质。

维C黄瓜紧肤面膜

■准备材料： 维生素C片1片、黄瓜1/2根、橄榄油1小匙。

■轻松DIY： 1.黄瓜洗净，去皮，放入搅拌机中搅拌成泥状。2.维生素C片放入研体中研成细粉。3.将维生素C粉末、橄榄油加入黄瓜泥中，充分搅拌均匀，调成泥状即可。

（使用方法） 洁面后，用热毛巾敷脸，将面膜均匀地涂在脸上，注意避开眼部和唇部肌肤，20分钟后，用温水洗净。每周1～2次。

（美丽功效） 此款面膜能有效收缩毛孔，控制肌肤出油，有效滋润、美白肌肤。

〔美人物语〕

*干性肌肤的保养法：加强运动；控制饮食；少喝刺激性饮料；随时随地为肌肤补充水分；做好皮肤保湿工作。

红豆泥紧肤面膜

■准备材料： 红豆100克、纯净水适量。

■轻松DIY： 1.将红豆洗净，放入沸水锅中，加适量纯净水煮至熟软。2.将煮好的红豆放入搅拌机中充分搅拌成泥状，冷却备用。

（使用方法） 洁面后，用热毛巾敷脸，将面膜均匀地涂在脸上，注意避开眼部和唇部肌肤，15分钟后，用温水洗净。每周1～2次。

（美丽功效） 此款面膜能够起到收缩毛孔的作用，使肌肤不再油光光。

★适用肤质：油性肤质。

菠菜珍珠粉面膜

- ▥ 准备材料：菠菜100克、珍珠粉50克。
- ▥ 轻松DIY：1.菠菜洗净，入沸水中烫一下，捞出，凉凉后放入搅拌机中打成浆。2.将珍珠粉倒入菠菜浆汁中搅拌均匀即可。

（使用方法）洁面后，将面膜均匀地涂在脸上，待15～30分钟后用冷水洗净即可。每周1～2次。

（美丽功效）菠菜能吸收有害的自由基，将新鲜养分和氧气送到脸部表皮，使肌肤娇白红润。珍珠粉细腻滑润，能使皮肤光滑有弹性，还有消斑除皱的功效。此款面膜，可以令皮肤更有弹性。

〔美人物语〕

*经常食用菠菜，为身体增加大量的抗氧化剂，既能激活大脑功能，又可增强青春活力。但菠菜做面膜前一定要用盐水浸泡一下，去除表面残留的农药。

★适用肤质：油性及痘痘肤质。

黑布朗蜜橄榄油面膜

- ▥ 准备材料：黑布朗1个，蜂蜜、橄榄油各适量。
- ▥ 轻松DIY：1.将黑布朗洗净，去核，放入搅拌机中搅打成泥。2.将蜂蜜、橄榄油加入黑布朗泥中，调匀即可。

（使用方法）温水洁面后，将面膜均匀地敷在脸上，约20分钟后用手轻轻按摩面部，然后一边按摩一边用温水冲洗。每周2～3次。

（美丽功效）黑布朗含有一种强有力的抗氧化成分——花青素，能促进人体生产胶原质，而胶原质能帮助保持皮肤的弹性。

★适用肤质：干性肤质。

Natural Mask

局部面膜，靓肤无微不至

⫶ 眼膜

　　一般敷面膜时需要避开眼周，因为眼周肌肤非常薄，对外界刺激极为敏感，面膜的材料可能对眼部造成刺激。而且眼周肌肤对营养的吸收力较弱，如果营养过剩，就可能形成脂肪粒。所以，眼周要使用专门的眼膜，比如茶叶眼膜等。

 茶叶眼膜

准备材料： 绿茶茶叶1勺，化妆棉1张（也可用面膜纸剪成小块代替）。

★ 轻松DIY：

① 将茶叶倒入壶中，加入适量热水。

② 3分钟后，即可开始使用。

使用方法： 化妆棉放入茶水中沾湿，平铺眼部，10~15分钟取下，用清水洗净残余茶水。每周1次。

适用肤质： 任何肤质。

美丽功效： 茶叶有很好的收敛作用，可以消除黑眼圈，对于眼袋也有一定的缓解作用。但注意要使用绿茶，禁用红茶，否则会造成色素沉淀。

⫶ 唇膜

　　嘴唇是非常脆弱的器官。此处角质层非常薄，而且没有汗腺和皮脂腺，自我保护能力比较弱，对外界环境极为敏感，最大问题就是干燥脱皮，唇膜能对唇部肌肤起到保湿的作用。这里推荐功效很好的蜂蜜唇膜DIY。

 蜂蜜唇膜

准备材料： 蜂蜡1勺，蜂蜜6勺，天然植物油2勺，简易乳化剂少许。

★ 轻松DIY：

① 先将植物油加上蜂蜜及蜂蜡，置于碗中。

② 置入微波炉或锅子中隔水加热1~2分钟，直到蜂蜡化开为止。

③ 趁热倒入面霜罐中，再加上简易乳化剂用力摇晃均匀，待凉凝固即可使用。

使用方法： 将调制好的护唇蜜随时涂抹于唇部肌肤，20分钟后洗净。寒冷干燥的季节可每天1次。

适用肤质： 任何肤质。

美丽功效： 蜂蜜能保湿滋润唇部、使唇部柔亮而有光泽，尤其对那些常年干燥的嘴唇，非常有效。

⫶ 鼻膜

　　鼻子部位最大的肌肤问题就是黑头，尤其是油性肌肤。由于肌肤油脂分泌旺盛，皮脂、细胞屑和细菌阻塞在毛囊开口处，再加上空气尘埃和污垢的作用，而形成了难看的黑头。鼻膜一般是撕拉型的，通过外力的作用来消除黑头。这里推荐功效极佳的蛋清鼻膜DIY。

准备材料： 鸡蛋1个，化妆棉1张（也可用面膜纸剪成小块代替）。

★轻松DIY：

① 将鸡蛋磕开，取出蛋清放置于容器中。

② 将化妆棉撕薄一些，放入蛋清里。

使用方法： 把浸满了蛋清的化妆棉取出，稍稍沥干，然后轻轻贴在鼻头上。10～15分钟后化妆棉会变干，此时再小心地撕下。两周1次。

适用肤质： 敏感性肤质慎用。

美丽功效： 蛋清具有极好的吸附能力，待干时撕下，能将鼻头的黑头吸附出来，清洁功效极佳。但注意不要频繁使用。

⫶ 颈膜

　　颈部是最容易出现皱纹的部位之一。此处活动频繁，而颈部肌肤的皮脂腺和汗腺数量只有脸部的三分之一，细薄脆弱，很容易缺水而出现干纹。而在面部基础护理时，颈部又常被忽略。所以，专门的颈膜护理是非常有必要的。这里推荐功效不错的果蔬汁颈膜DIY。

准备材料： 黄瓜1/2个，番茄1个，苹果1个。

★轻松DIY：

① 将黄瓜、番茄、苹果洗净去皮，放入榨汁机中榨汁。

② 将果蔬汁倒出，搅匀即可。

使用方法： 用清洁产品将颈部彻底清洁，在肌肤略湿润时，将颈膜均匀涂在颈部，还可以包上保鲜纸，延缓果蔬汁的挥发。20分钟后洗净即可。每周1～2次。

适用肤质： 任何肤质。

美丽功效： 此款颈膜具有很好保湿的功效，防止颈部干纹的出现。此外，还能帮助去除颈部陈旧的角质和死皮，让颈部变得嫩滑。

品质生活 · *最美女人坊*

健康美白天然面膜DIY

美术编辑：王秋成

文字撰稿：她品文化

图片拍摄：攀 达　刘 飞

图片提供：华盖创意图像技术有限公司

　　　　　达志影像

　　　　　北京全景视觉网络科技有限公司

　　　　　上海富昱特图像技术有限公司